afgeschreven.

Ludo Schildermans

Getekend

Houtekiet

Antwerpen / Utrecht

www.ludoschildermans.be

© Ludo Schildermans / Houtekiet /
Linkeroever Uitgevers nv 2011
Houtekiet, Katwilgweg 2, B-2050 Antwerpen
info@houtekiet.com
www.houtekiet.com

Omslag Wil Immink
Foto omslag © Corbis / HillCreek Pictures bv
Foto auteur © Sara Engels
Zetwerk Intertext, Antwerpen

ISBN 978 90 8924 179 5
D 2011 4765 28
NUR 330

Vengeance is like a fire.
The more it devours, the hungrier it gets.

J.M. Coetzee, Disgrace

I

Ergens achter me in het vertrek lekte een kraan. Waterdruppel na waterdruppel verdween met de regelmaat van een metronoom in het gat van de afvoer. Het was het enige geluid dat ik hoorde. En met elke druppel water die in de sifon plonsde, weerklonk er een luidere echo, zo leek het. In een poging te kijken waar die lekkende kraan zich precies bevond, draaide ik mijn hoofd, maar ik was amper in staat me te verroeren, omdat mijn polsen waren samengebonden met een plastic bandje dat bij de minste beweging als een vlijmscherp mes in mijn vlees sneed. Het vertrek waarin ze me hadden opgesloten was akelig leeg, op de houten leunstoel waarop ik zat na. Een kelder, daar deed de ruimte me nog het meest aan denken. De muren hadden een onbestemde kleur groen die een eeuwigheid geleden tijdens een haastklus op de ruwe bakstenen moest zijn gesausd. Bijna alle voegen vertoonden barsten en hier en daar schemerde het rood van een baksteen door de verf. Er zaten geen ramen in de muren. Het licht in de kamer kwam van een kaal peertje boven mijn hoofd, dat ik nog net zag hangen toen ik mijn kop voorzichtig naar achter kantelde en mijn oogpupillen naar boven perste. Nu zag ik ook hoe hoog het vertrek in feite was. De gloeilamp hing met een lang zwart snoer aan het plafond, dat schuilging in de schaduw. Ik liet mijn hoofd zakken en meteen schoot er een pijnscheut door mijn polsen die me naar adem deed happen. Het beste nog was me zo weinig mogelijk te bewegen.

Ik had geen enkel idee waar ik me bevond. De autorit had in mijn beleving niet erg lang geduurd, maar ik kon me vergissen. Geblinddoekt was ik al snel alle gevoel voor tijd, ritme en richting verloren. Wel had ik tijdens de rit gemerkt dat we af en toe stegen en daalden alsof we over een brug reden, al kon het zijn dat ik me dat had verbeeld. Mijn zintuigen waren volledig in de war. Het had niet geholpen dat ik niet wist wat ze van me wilden. Op de achterbank van de auto, mijn gezicht nat van het zweet door de zak die ze over mijn hoofd hadden getrokken, kreeg ik steeds wildere visioenen van wat me te wachten stond terwijl ze me naar een onbekende bestemming voerden. Slechts een klein gat voor mijn mond stelde me in staat adem te halen. Er sijpelde daar ook wat licht in mijn benauwde duisternis binnen, maar dat kon me nauwelijks geruststellen. Degenen die me in de wagen hadden gesmeten, hadden de hele rit lang geen woord gesproken. Toen de auto was gestopt, hadden ze me er ook gezamenlijk weer uitgehaald. Ik had nog even wild met mijn benen om me heen geschopt, al wist ik dat het zinloos was. Puur instinct was het, van een mens die als een kat in het nauw zat. Tussen hen in was ik beginnen te lopen, moeizaam omdat ik niets zag. Ze lieten me even halt houden en ik hoorde hoe een deur werd geopend. Toen we weer begonnen te lopen, bleef een van mijn voeten achter iets haken, een drempel wellicht, zodat ik meer strompelend dan lopend een ruimte werd binnengeleid. Door het gat voor mijn mond kwam hetzelfde parfum gedreven dat ik in de auto had geroken en dat ik meende te herkennen. Terwijl ze me bij mijn bovenarmen voorttrokken, herinnerde ik me de muskusachtige geur die me ook in Lina's appartement was opgevallen, alleen rook het hier een flink stuk sterker. Tussen mijn ontvoerders in werd ik een trap afgeleid, waarbij mijn gymschoenen de treden nauwelijks beroerden. Beneden hing er een muffe geur. Met een knerpend geluid van metaal over metaal werd er een deur ontgrendeld en een moment later werd ik ruw op een stoel gedrukt met mijn armen achter me over de rugleuning, wat een felle pijnscheut door mijn polsen joeg. Mijn benen werden met mijn enkels aan de stoelpoten vastgemaakt. En ineens trok iemand de zak van mijn hoofd, zodat het plotse licht me verblindde. Toen ik me draaide in een poging te kijken wie mijn ontvoerders waren, had ik enkel nog de deur in het slot zien vallen en gehoord hoe een grendel werd verschoven. Sindsdien zat ik op deze stoel en had ik geen geluid meer gehoord. Op het gedruppel van die lekkende kraan na. Het was als het tikken van een klok in een doodstil vertrek: hoe harder je je best doet om het niet te horen, hoe luider het lijkt te weerklinken.

Ik sloot mijn ogen en probeerde nergens meer aan te denken. Maar gedachten over Lina begonnen meteen door mijn hoofd te malen. Wat was er met haar gebeurd? Was zij ook ontvoerd? En zo ja, zat ze dan in hetzelfde gebouw opgesloten? Het was de onwetendheid over haar lot die me het zwaarst viel, meer nog dan het fysieke ongemak dat ik voelde. Ik vloekte. Het was allemaal mijn schuld. Als ik dat lichaam niet had gevonden op het strand bij Breskens, dan was dit nooit gebeurd. Die gruwelijke vondst had alles in werking gezet. Daardoor voelde ik me verantwoordelijk voor Lina. Ik probeerde de gebeurtenissen van de afgelopen weken na te gaan om te ontdekken wat het nu precies was dat me hier in deze cel – want dat was dit raamloze hok onmiskenbaar – op deze houten stoel had doen belanden; wat ze precies van me wilden. Maar mijn brein was te onrustig en mijn gedachten struikelden over el-

kaar heen, bleven haken aan draadjes die ik probeerde te ont-
rafelen en maakten er op de duur zo'n kluwen van dat ik alleen
maar nóg ongeruster werd. Ik schudde mijn hoofd in een poging het gemaal van mijn hersenen te doen stoppen. Even lukte dat, maar meteen was er weer dat hypnotiserend ritme:
plup... plup... plup... Ik wilde er niet naar luisteren, maar er
was geen ontkomen aan. Ik kon zelfs niet eens mijn handen
tegen mijn oren drukken. Het bandje rond mijn polsen sneed
trouwens de bloedtoevoer af en mijn vingers begonnen al koud
aan te voelen. In paniek probeerde ik ze een beetje te bewegen.
Maar elke beweging veroorzaakte pijn. Het beste was nog te
proberen me zo stil mogelijk te houden, ook al betekende het
dat ik gedwongen werd te luisteren naar het zenuwtergende
gedrup uit de kraan. Na een tijdje voelde ik de aandrang opkomen om te pissen, een drukkend gevoel op mijn blaas dat steeds
moeilijker te negeren viel. Om er niet aan te hoeven denken
begon ik toch weer de gebeurtenissen van de afgelopen weken
na te gaan.

2

Het was een van de laatste dagen van mijn korte vakantie aan zee toen ik de vrouw vond. Ze was naakt en lag in de branding op haar buik met haar voeten naar me toe alsof ze de golven weer in wilde zwemmen, maar daartoe de kracht niet meer had. Dat het een vrouw was, maakte ik op uit de lange strengen zwart haar die, telkens als het lichaam door het water werd opgetild, uitwaaierden als de kronkelende slangen op Medusa's hoofd. En door de vorm van de billen die dezelfde bleke kleur hadden als de schuimkoppen op het grauwe water van de Noordzee. Op een drafje liep ik ernaartoe en toen ik bij het lichaam aankwam, stapte ik er schroomvallig omheen. Ik was zo verbouwereerd door de gruwelijke vondst dat ik niet eens besefte dat ik met mijn gympen in zee stond te soppen. Nog heftiger was de schok toen ik het hoofd zag: het gezicht was bijna voor de helft weggevreten. Of was een stuk van de schedel weggeslagen door het gebeuk op stenen? Slechts één oog leek nog met een broze, grijsrode elastiek verbonden met de oogkas en dreef rond in de holte van de vlezige restanten die ooit neus en mond vormden. Het oog staarde me levenloos aan en kokhalzend wendde ik me af. Heel even kreeg ik het merkwaardige gevoel dat het water ophield te bewegen, dat de wind was gaan liggen en dat de meeuwen, die al die tijd luid krijsend boven me heen en weer hadden gevlogen, zwegen; ja, dat alle geluiden abrupt waren verstomd. Luid brakend liep ik van het lichaam weg. Het was het eerste lijk dat ik ooit in levenden lijve zag. Toen de paradox van die vaststelling tot me doordrong, begon ik hysterisch te lachen.

Ik vermande me en keek rond. In dit seizoen was er op dit vroege uur niemand te zien op het strand en ook niet op de dijk. Wat ik diende te doen was duidelijk: de hulpdiensten waarschuwen. Ik zocht mijn gsm, toetste op het piepkleine toetsenbordje het noodnummer in en wachtte. Maar ik kreeg geen verbinding. Blijkbaar was er zo ver op het strand een slecht bereik. Ik vloekte. Terwijl ik voortdurend het schermpje van mijn mobieltje controleerde, begon ik in de richting van de dijk te lopen. In de buurt van mijn fiets, die ik halverwege het strand had achtergelaten, vond de Nokia eindelijk het gsm-netwerk. Ik belde opnieuw en kreeg vrijwel meteen verbinding.

'Er ligt een lijk op het strand,' zei ik.

Het was even stil aan de andere kant van de lijn.

'Een lijk?' vroeg een vrouwenstem.

'Het is een vrouw. Ze ligt bij de vloedlijn. Ze is helemaal naakt.'

'Waar bent u precies?'

'Op het strand in de buurt van Breskens.' Ik keek om me heen. 'Vlak bij de vuurtoren.'

'Oké, we hebben uw coördinaten via uw gsm. Kunt u ter plaatse blijven tot de politie arriveert?'

'Geen probleem.'

'Mag ik dan nog even uw naam?'

'Lucas Grimmer.'

'Euh... kunt u het even spellen?'

Extra nadruk leggend op elke lettergreep spelde ik mijn naam.

'Goed, meneer Grimmer. De dienstwagens komen uit Sluis, het kan dus wel even duren. Maar ze zijn onderweg.'

Ik liep terug naar het lijk, de zilte geur van de zee in mijn neus. In de verte zag ik de contouren van een containerschip dat door Het Kanaal voer. Er stond een sterke wind die nevelige druppeltjes water in mijn gezicht blies. Al na enkele seconden vond ik het onverdraaglijk om de wacht te houden bij het dode lichaam. En het hielp niet dat de zee zo hevig bewoog. Het repeterende, klotsende geluid enerveerde me. Ik stoorde me ook aan het gekrijs van de meeuwen boven mijn hoofd die steeds heftiger leken te ruziën. Zelfs de stevige bries, de adem van de Noordzee, vond ik nu onbetamelijk. Enkel stilte paste hier. Ik had nog steeds mijn gsm in mijn handen en in een opwelling begon ik met de camera foto na foto te maken van de drenkeling. Het lcd-schermpje van de telefoon als zoeker gebruikend zoomde ik een paar keer in. Terwijl ik over het lijk gebogen stond, scheen het menselijke lichaam me op het kleine kleurenscherm van het toestel op de een of andere manier minder dood toe. Alsof het al nieuws was geworden en daardoor de afstand kreeg van de beelden die je tijdens het journaal ziet op het scherm van je tv of die je zonder al te veel emoties bekijkt in de krant. Ik schaamde me plotseling en ik hield abrupt op met fotograferen. Weifelend keek ik om me heen. Toen besloot ik dat ik beter bij de vuurtoren op de hulpdiensten kon wachten. Ik begon in de richting van het met zwarte en witte banden beschilderde bouwwerk te wandelen, maar bedacht me. Ik keek naar de vrouw. Het fotograferen had me op een idee gebracht. Vlug ontdeed ik me van mijn rugzakje. Ik vertrok zelden of nooit zonder een schetsblok, wat houtskool en potloden. Meestal had ik ook een waterverfset bij me. Dat waren de werktuigen die me als gerechtstekenaar een inkomen verschaften. Ik verdiende er weliswaar geen riante bedragen mee – uren en uren kampeerde ik vaak in een rechtszaal voor een schamele beloning –, maar ik was het mijn hele leven al gewend om met weinig rond te komen. Tegenwoordig was ik al blij dat ik kon tekenen. En er geld mee verdiende. Het grijpen naar mijn tekengerei was een normale impuls voor me, maar nu ik mijn ogen op het verminkte wezen aan mijn voeten richtte, haperde het houtskoolpotlood boven het witte blad papier van het tekenblok. Het leek me ineens ongepast een schets te maken. Toch gleed de punt van mijn potlood al over het papier voor ik me kon bedenken. Ik was een ervaren tekenaar en het lichaam, hoe afstotelijk de aanblik ook was, stond er snel op. Ik liep naar een andere positie en maakte nog een tweede, meer gedetailleerde schets met enkele kleurpotloden. Toen ik tevreden was over de tekening, stak ik schetsblok en potloden weg en wandelde in snelle pas het strand over, terwijl ik mijn verkilde vingers trachtte warm te blazen. Ik pakte mijn fiets en liep ermee in de richting van de vuurtoren. Het begon te miezeren en nadat ik het rijwiel tegen de houten paaltjes had gezet die het gebouw omheinden, trok ik de regenkap van het windjack over mijn hoofd. Ik keek naar het lijk. Van hieruit was het moeilijk te zien dat het een mensenlichaam was. Het dobberde nog steeds mee met de deining van de zee. Ik zocht opnieuw mijn gsm en belde het nummer van de redactie.

'Met De Nieuwskrant.'

Ik herkende de stem van de eindredactrice.

'Carolien, met Lucas. Ik ben met vakantie in Breskens en je zult het niet geloven, maar ik heb hier net een lichaam op het strand gevonden... De hulpdiensten zijn onderweg. Misschien moeten jullie ook iemand sturen.'

'Tsjonge! Ik geef even de big chief.'

Carolien verbond me door.

'Met Bert Blok.'

Ik legde de hoofdredacteur kort uit waarvoor ik belde.

Bert Blok zuchtte. 'Ik kan nu moeilijk iemand helemaal naar Zeeland sturen, Lucas. Wacht, ik geef je Lina. Zij kan een bericht maken aan de hand van jouw beschrijving. Dat kan dan meteen op de website.'

'Ik heb een paar schetsen gemaakt,' zei ik. Over de foto's die ik met mijn gsm had genomen, zweeg ik.

'Mooi, mooi... Bezorg ons die zo snel mogelijk. Of weet je wat, geef ze mee met Wim. Die is momenteel in Knokke voor een persconferentie. Ik bel hem dat hij eerst nog naar Breskens moet voor hij naar zijn volgende opdracht rijdt. Dan kan hij meteen ook foto's maken. Zo snel zullen ze dat lichaam wel niet bergen. Ik geef je nu Lina.'

Het was altijd een hectische bedoening op de redactie en ik bewonderde de manier waarop Bert Blok snel tot beslissingen kwam. De adrenaline in de man zijn stem verraadde de druk die hij elke dag moest voelen om een krant te maken. Terwijl ik wachtte, hoorde ik het melodietje dat ik vaker te horen kreeg als ik naar de redactie belde en werd doorgeschakeld, meestal met Lina. Zij versloeg vaak de rechtszaken waar ik tekeningen maakte.

'Lucas, je hebt een echte *scoop* beet, hoor ik van Bert.'

Lina noemde de hoofdredacteur altijd bij zijn voornaam, terwijl het merendeel van de redactie meestal de achternaam gebruikte: Blok, kort en krachtig als een vloek.

'Typisch Blok om een dode zo te omschrijven,' zei ik.

Lina grinnikte. Ze begon me vragen te stellen over het aangespoelde lijk. Ze sprak vlot Nederlands, maar ze had een licht accent dat me altijd opviel als ik haar een tijdje niet had gesproken. Het verraadde dat ze hier niet geboren was. Haar vragen beantwoordde ik zo zakelijk mogelijk. Wellicht zou dit een klein bericht worden op de binnenlandpagina's.

'Oké,' zei Lina. 'Ik denk dat ik voldoende heb voor een artikel. Ik bel straks nog even met de politie in Zeeland om te horen of ze meer nieuws hebben.'

Ze leek het gesprek te willen afsluiten en ik had haar al bijna weggedrukt, toen ik haar hoorde zeggen: 'En Lucas, geniet van die vakantie!'

'Probeer ik,' zei ik en ik hing op.

Terwijl mijn blik weer het lichaam op het strand zocht, hoorde ik in de verte de sirenes van de hulpdiensten. Ik werkte bijna drie jaar voor *De Nieuwskrant*. Bert Blok had me als rechtbanktekenaar in dienst genomen. Ik kende hem nog van mijn tijd in Leuven en mijn aanstelling was in minder dan een kwartier beklonken. Ik had maar sporadisch contact met de hoofdredacteur. Alleen als er beeldmateriaal nodig was bij een rechtszaak waar niet gefotografeerd mocht worden, mocht ik opdraven. Lina had me verteld dat Bert Blok niet de gemakkelijkste man was om voor te werken.

Ik zag twee politiebusjes over de dijkweg rijden. Net toen de agenten uitstapten, stopte er ook een donkerblauwe Volvo.

'Hebt u de centrale gebeld?' vroeg een van de agenten.

Ik knikte en wees naar het lichaam in de verte.

Een man in een halflange ivoorkleurige regenjas voegde zich bij de agenten.

'Laten we meteen dit deel van het strand afzetten,' zei hij tegen de dienders. 'De Technische Recherche is onderweg. We moeten hier ook een lijkwagen hebben.'

Toen keek hij mij aan en hij stak zijn hand uit. 'Goedemorgen. Ik ben inspecteur Posthuma en dit is adjunct-inspecteur Verlaat.'

De jonge collega, die naast hem had postgevat en een paraplu had geopend, leek nog maar net de schoolbanken ontgroeid, maar zijn handdruk was fors.

'U hebt het lijk gevonden?' vroeg Posthuma.

Ik knikte. 'Ik kwam hier voorbijfietsen toen ik iets bij de vloedlijn zag liggen. Ik dacht eerst dat het een stuk drijfhout of een vis was.'

De inspecteur wendde zijn blik naar het strand. 'U bent blijkbaar helemaal tot aan de vloedlijn gelopen. Wat is dat vreemde spoor daar naast uw voetstappen?' De vinger van zijn wijzende hand bleef ergens halverwege de dijk en de waterlijn hangen.

Ik keek naar de kronkelende lijnen in het zand die abrupt ophielden. De tekening leek op het spoor van een of ander slangachtig dier dat in de richting van de zee was gekropen en onverhoeds was gestopt in zijn schuifelgang naar het water. Ik wees naar het rijwiel achter me. 'Bandensporen. Omdat het een huurfiets is, heb ik hem mee het strand opgenomen. Maar ik heb hem daar achtergelaten, toen ik zag dat het een lijk was.'

Posthuma knikte. 'Ik zal dadelijk een verklaring opnemen in een van de politiebusjes. Met dit weer is dat prettiger schrijven. Ik wil eerst nog even rondkijken. Wilt u mijn collega volgen?'

Posthuma wees kort naar Verlaat. Toen liep hij van ons weg, terwijl hij het strand afspeurde.

Ik volgde de jongeman die een scherp gesneden muisgrijs maatpak droeg. Verlaat hield zijn paraplu op en liep met precieuze passen naar de auto's. Er waren ondertussen nog meer voertuigen gearriveerd. Een man en een vrouw met metalen koffers in beide handen liepen het strand op in de richting van het aangespoelde lichaam. De dienders waren bezig de omgeving af te zetten met een lint. De jonge inspecteur nodigde me in een van de politiebusjes en liet me plaatsnemen aan een kleine tafel. Zelf ging hij tegenover me zitten, maar sprak geen woord. Ik keek door het raam en zag Posthuma in de richting van de wagens wandelen terwijl hij zijn blik op het strand gericht hield. Hij sprak kort met een van de agenten die een grote rol politielint torste. Even later stapte hij het politiebusje binnen en nam plaats naast zijn collega. Het nauwe interieur rook plotseling heel erg ziltig en de ramen besloegen licht. De inspecteur haalde een blocnote en een balpen tevoorschijn. 'Vertelt u maar eens hoe u het lijk hebt gevonden,' zei hij.

Ik zag hoe Verlaat een piepkleine dictafoon uit zijn binnenzak haalde en op het tafelblad legde. Posthuma nam het glimmende kleinood op en woog het even op de palm van zijn hand. Hij grimlachte. 'Ik ben nog van de oude stempel,' zei hij. 'Het moet tegenwoordig allemaal digitaal, maar ik kan met die spullen niet overweg.'

Ik begreep de inspecteur. Zelf had ik jonge collega's die waren overgeschakeld op een interactief pentablet waarmee ze rechtstreeks op hun laptop konden schetsen en zelfs schilderen, zodat de redacties hun tekeningen niet meer hoefden in te scannen. Het zag er gelikt uit, maar het was niets voor mij. Ik wilde het tekenmateriaal in mijn handen voelen. Met zoveel mogelijk details vertelde ik de politiemannen hoe ik het lichaam had ontdekt. Posthuma stelde nog enkele vragen, maakte een paar aantekeningen en knikte dat de ondervraging was afgelopen.

Toen we weer buiten stonden, zei de jonge inspecteur: 'Hopelijk heeft deze vondst uw vakantie niet om zeep geholpen.'

Ik knikte berustend, maar het geschonden gezicht van de vrouw kwam me even voor ogen en toen ik zag hoe bij een lijkwagen net een brancard werd uitgeladen, rilde ik. Op de draagberrie werd door een gedrongen man met een ringbaardje een grijsblauwe zak gelegd. Even verderop stond iemand te fotograferen. Toen ik achter de camera met forse telelens het scherpe gezicht van Wim Mathijsen herkende, liep ik er met een glimlach naartoe.

'Hé, Lucas,' begroette de fotograaf me. 'Wat een ontdekking, man!'

'Zo vroeg op de morgen was het geen aangename verrassing, Wim, dat kan ik je verzekeren. Jij bent hier snel, zeg.'

Mathijsen grijnsde breed. 'Ik was net klaar met opnamen in Knokke. Ik zat al in mijn wagen toen Blok me belde. Van Knokke naar hier is het niet ver. Jammer dat ik het strand niet op mag van de politie.'

We keken in de richting van het lichaam, waar politieagenten net een witte tent overeind hadden gezet. Wim keek weer door de zoeker van de camera. Ik hoorde het geluid van de sluiter. Een paar tellen later richtte de fotograaf zich op.

'Ik denk wel dat ik zo voldoende beeldmateriaal heb,' zei hij en hij schroefde de lange lens los. Hij haalde het toestel van het statief, dat hij routineus opvouwde nadat hij de camera en de lens in zijn tas had weggeborgen.

'Zullen we ergens koffie gaan drinken?' vroeg hij. 'Dan kan ik de foto's meteen doorsturen naar de redactie.'

'In koffie heb ik nu wel zin, ja. Ik heb een zurige smaak in mijn mond. Toen ik zag hoe verminkt het lijk was, hield ik mijn ontbijt niet meer achter mijn kiezen.'

'Ik meende al zoiets te ruiken,' zei Wim.

'We zullen naar Breskens moeten, vrees ik. Ik stel voor dat je met de auto volgt,' zei ik en ik wees naar het rijwiel. 'Die laat ik hier niet graag staan. Het is een huurfiets.'

'Oké, vertrek maar vast, ik haal je wel in en volg je dan,' zei Wim en hij liep met het statief op zijn schouder in de richting van de auto's.

Terwijl ik de dijkweg opreed, zag ik enkele mensen naar de bedrijvigheid op het strand staan kijken. Veel viel er niet te zien. Het lijk werd aan het zicht onttrokken door de witte tent.

3

We stapten het eerste het beste café binnen dat we tegenkwamen. Ik ging meteen naar het toilet, waar ik onder de kraan van de wasbak mijn mond spoelde en mijn handen waste. Terwijl we wachtten op onze koffie, haalde Wim een kleine laptop uit zijn tas. Met een kabel verbond hij zijn camera met de notebook.

'En wat brengt jou naar Zeeland?' vroeg hij, terwijl hij naar het oplichtende scherm bleef kijken.

De caféhoudster bracht onze bestelling.

'Vakantie.' Ik opende omzichtig het plastic melkcupje en goot het leeg in mijn kop.

Wim roerde in zijn koffie terwijl hij naar buiten keek. 'Vreemd om in dit seizoen hier vakantie te houden. Veel zon zul je nu niet te zien krijgen.'

Ik volgde Wims blik. Het was opgehouden met regenen, maar het grauwe wolkendek beloofde nog meer neerslag.

'Ik zocht een plek om wat uit te waaien. Dan is de kust juist een goede bestemming. In de zomer krijg je me hier niet naartoe.'

De fotograaf keek me vorsend aan.

'Wat?' vroeg ik, al wist ik wat hij ging zeggen.

'Die vakantie... heeft die iets te maken met Krista?'

Ik haalde mijn schouders op. Enkele mensen op de redactie wisten dat mijn relatie met haar onlangs op de klippen was gelopen. Met Wim had ik het er op een avond, toen we stevig waren doorgezakt, omstandig over gehad. Ik mocht de fotograaf wel. 'Ik heb tijd nodig om wat zaakjes op een rij te zetten.'

Wim concentreerde zich weer op zijn laptop. Hij toverde een paar foto's in miniatuur op het scherm, klikte een van de thumbnails open en toen het beeld het hele lcd-scherm vulde, floot hij tussen zijn tanden. 'Huiveringwekkende vondst, inderdaad,' zei hij en hij draaide de laptop een beetje.

Ik keek meteen weg. 'Dank je. Ik heb vanmorgen het origineel al gezien.'

Wim knikte en sloot de laptop af. 'Ik ben hier klaar. Mijn volgende bestemming is een restaurant dat net een Michelinster heeft gekregen.' Hij grijnsde, terwijl hij opstond. 'Misschien valt er ook wat te bikken.'

Ik begreep niet hoe Wim na het zien van de beelden aan eten kon denken. 'Wacht even,' zei ik en ik greep naar mijn rugzakje dat naast mijn stoel op de grond stond. 'Ik heb wat schetsen gemaakt van het lijk en ik heb Blok beloofd dat ik ze jou zou meegeven.' Ik haalde het schetsblok tevoorschijn waarin ik de tekeningen had weggeborgen en overhandigde ze aan Wim, die ze voor zich op de tafel uitspreidde. De fotograaf bekeek ze prijzend.

'Ik zou bijna zeggen "mooi werk" als het niet zo'n gruwelijk tafereel was. Jezus, dat gezicht is wel erg toegetakeld, zeg! Deze tekeningen zijn volgens mij beter bruikbaar dan mijn foto's. Ik kon met mijn lens wel fors inzoomen, maar er stond al te veel volk rond het lichaam. Bovendien zullen ze voor de krant ook te korrelig zijn als ze met Photoshop een uitsnede van het lijk willen maken.' Hij stak de schetsen met de nodige zorg in zijn grote fototas. 'Geen enkele krant zal zulke gedetailleerde beelden hebben,' zei hij en hij glimlachte breed.

'Wellicht is het beter dat het een schets is en geen foto, dan verslikken de mensen zich niet in hun koffie morgenvroeg.'

Wim schudde zijn hoofd. 'Als het aan jou lag, Lucas, was ik werkloos.'

Voor de deur van het café namen we afscheid.

De fotograaf sloeg me even bemoedigend op mijn schouder. 'Hopelijk komt dat lijk vannacht niet spoken. Als je je hier te eenzaam voelt, mag je me altijd bellen. Dan gaan we een avond stappen. Moet je me wel te slapen kunnen leggen.'

'Bedankt. Misschien doe ik dat wel.'

Ik fietste traag de dijk af in de richting van het vakantieappartement dat ik een tijdje geleden via het internet had gehuurd. Samen met Krista had ik een kort verblijf aan de kust gepland, maar onze relatie was gestrand nog voor we de week vakantie zouden houden. Even had ik de hoop gekoesterd dat we toch nog samen zouden gaan, om zo te trachten de breuk te lijmen. Maar Krista had mijn voorstel onvoorwaardelijk afgewezen en ik had toen maar na enig wikken en wegen besloten alleen te gaan. Het appartement was een twee-onder-een-kapwoning in een bungalowpark, dat ook fietsen verhuurde. Het park was grotendeels verlaten. Het was het seizoen niet voor vakantiegangers. Ik was hier nu vijf dagen en ik had hooguit een paar geluiden van andere bewoners in de buurt gehoord: een hond die kefte, een televisietoestel dat plotseling luid hoorbaar was. Maar ontmoet had ik hier nog niemand. De rust voelde weldadig aan. Ik was blij dat ik had toegegeven aan mijn opwelling me hier een tijdje te komen verstoppen, ook al had ik huiverig gestaan tegenover het idee alleen te verblijven in een vakantiepark. Dat had ik ooit één keer eerder in mijn leven gedaan en ik was er vroegtijdig weggevlucht, murw geslagen door het lawaai. Zelfs 's nachts leken er overal feesten aan de gang met luid brallende mensen en bonkende hoempapamuziek. Hield het ene feestje op, dan begon er niet veel verder meteen een nieuwe fuif. Dat was geen vakantie, dat was pure marteling. Ik had natuurlijk beter moeten weten; het was toen immers hartje zomer geweest. Nu, zoveel jaren later, had ik erop gegokt dat het in dit seizoen wel zou meevallen. Het enige wat ik gepland had, was iedere dag een flink stuk te fietsen, beukend tegen de wind, zodat ik 's avonds door de gezonde vermoeidheid gemakkelijk in slaap viel en geen uren lag te dubben over de breuk met Krista. Fietsen en slapen, meer had ik op dit moment niet nodig. Voor de deur van het appartement ritste ik mijn K-Way open en zocht naar de sleutel. Ik opende de deur en rolde de fiets het halletje in. Ik deed mijn windjack uit en liep verder. Het appartement bestond uit een woonkamer met een open keuken, twee slaapkamers en een kleine badkamer. Ik wilde net koffie zetten toen mijn gsm begon te rinkelen. Ik herkende het nummer op het schermpje. Iemand op de redactie probeerde me te bereiken.

'Hallo, Lucas.'

Het was Lina.

'Ik heb daarnet met de woordvoerder van de politie gebeld om wat feiten te checken. Ze geven vanavond een persconferentie. Ik vroeg me af of je deze zaak niet wilt blijven volgen nu je in de buurt bent. Misschien hebben ze al meer informatie over de identiteit van de drenkeling.'

De vraag overviel me. 'Ik ben hier met vakantie, Lina.'

'Ik ken je, Lucas. Dat is toch niets voor jou. Je hebt je trouwens van seizoen vergist voor een strandvakantie.'

'Dat heeft Wim me daarstraks ook al duidelijk gemaakt.' Ik deed een filter in het koffiezetapparaat en zocht in de kast

naar het pakje gemalen koffie. 'Om hoe laat is die persconferentie?' vroeg ik, terwijl ik de filter halfvol met koffie vulde.

'Zeven uur.'

'Heb je ook een adres?'

'Euh... wacht even.'

Ik hoorde Lina door haar papieren zoeken. Ik zag haar bureau voor me dat altijd ondergesneeuwd leek met papier in alle
maten en vormen waarop ze haar aantekeningen maakte: post-
its, enveloppen, velletjes die ze ruw uit blocnotes scheurde.
Toch vond Lina in die chaos altijd blindelings wat ze zocht.
Terwijl ik luisterde naar haar onbestemde geluiden, liep ik naar
de kapstok in de hal en haalde mijn notitieboekje en balpen
uit de binnenzak van mijn jas.

'Hier heb ik het... Politiebureau Sluis. Het is in Oostburg
en de straatnaam is Trageldam. Het nummer heb ik niet, maar
een politiebureau moet niet moeilijk te vinden zijn.'

Terwijl ik de gsm tussen mijn kin en schouder gekneld hield,
noteerde ik de straatnaam en zei: 'Oostburg? Geen idee waar
dat ligt.'

'Ik heb het even opgezocht in Google Maps. Het is niet zover bij je vandaan. Een kleine tien kilometer.'

'Ik heb hier geen internet en kan het dus niet opzoeken in
Google Maps.'

'Heb je geen smartphone met gps?'

'Ik heb maar een eenvoudige gsm, Lina. Maar ik vind wel
ergens een kaart. Ik fiets er vanavond heen.'

'Bedankt. Je hebt nog iets te goed van me, Lucas. En euh...
Wil je me bellen na de persconferentie? Als het belangrijk
nieuws is, kan het nog mee in de krant van morgen.'

'Beloofd.'

Ik hing op. Met mijn laptop installeerde ik me aan de tafel
in de woonkamer. Ik wachtte tot de notebook was opgestart

en maakte er vervolgens met mijn mobieltje een Bluetooth-verbinding mee. Toen begon ik de foto's die ik vanmorgen van het aangespoelde lichaam had gemaakt naar de harde schijf van de laptop te versluizen. Het waren forse bestanden en de transactie zou wel even duren. Terwijl ik wachtte, haalde ik koffie. Gewapend met een kop nam ik plaats aan de tafel en toen alle bestanden op de harde schijf waren opgeslagen, klikte ik de eerste foto open. Ze was wat onscherp – wellicht was ik bij de opname nog te veel onder de indruk geweest van wat ik had ontdekt –, maar toch stelde ik vast, hoe cru ik het zelf ook vond, dat het eigenlijk best een mooie vrouw was die daar met haar rug naar me toe op het Zeeuwse strand lag. Prachtige, lange gitzwarte haren had ze. Naar de vorm van haar lichaam te oordelen schatte ik haar leeftijd op een jaar of dertig. Met een zeker gevoel van weerzin bekeek ik de foto. Ik voelde me een perverse voyeur, alsof ik niet het recht had om deze nog jonge vrouw, die op een gruwelijke manier aan haar einde was gekomen, te bekijken. Ik had bewust met geen woord gerept over de foto's tegen Blok. De hoofdredacteur zou er beslist op hebben aangedrongen dat ik de beelden zou doorsturen. De sensationele foto's zouden ongetwijfeld de verkoop van de krant de hoogte in hebben gestuwd. Geen enkele andere krant had immers deze close-upbeelden van het slachtoffer. Ik was blij dat ik zonder ook maar een moment te aarzelen beslist had te verzwijgen dat ik fotomateriaal had van de drenkeling. Ik ergerde me steeds vaker aan de sensatiezucht van de hedendaagse pers. Waarom had ik plotseling beslist om foto's te maken met mijn gsm? Ik wist het zelf eigenlijk niet. Het was niet zo dat ik als tekenaar dezelfde reflex had als een persfotograaf, zoals mijn goede vriend Wim Mathijsen. Ik was een man van getekende beelden. Een tekening maken duurde nu eenmaal iets langer dan het indrukken van een ontspanner op een camera. Maar het maken van de foto's had me geholpen afstand te nemen van het verminkte lijk. Wim had me wel eens verteld hoe hij zich bijna automatisch afsloot voor zijn gevoelens bij de huiveringwekkende beelden die hij soms voor zijn lens kreeg. Het was kadreren, letten op de technische aspecten en de ontspanner indrukken. Anders was het onmogelijk om het beroep van persfotograaf vol te houden, volgens hem. Het was de zoeker van de camera die hem beschermde voor al te grote psychische schade. Goed, af en toe, zo had Wim me toevertrouwd, moest hij ook wel eens slikken als hij een zwaar toegetakeld slachtoffer zag en kreeg hij zijn oog nauwelijks nog achter het oculair van het toestel geprangd. Maar over het algemeen was het goed schuilen achter zo'n forse spiegelreflexcamera. Bij oorlogsfotografen moest het vel nog een stuk dikker zijn, vermoedde ik. De gruwelijke foto's die de meeste kranten soms afdrukten van oorlogsslachtoffers kon ik vaak met moeite bekijken. Maar hoeveel mensen nuttigden die beelden niet tijdens hun ontbijt zonder ook maar met hun ogen te knipperen?

En nu zat ik mijn eigen afgrijselijke foto's te bekijken die ik die morgen in een opwelling had genomen met de camera van mijn gsm. Ik kon me er niet toe brengen mijn laptop af te sluiten en bleef door de reeks foto's scannen. Bij een van de eerste beelden die ik had gemaakt, waarbij ik een groot deel van de benen en de rug van de vrouw had gefotografeerd, viel mijn oog op een vreemd teken boven de bleke vlek van haar billen. Was het een tatoeage, een *tramp stamp*, zoals ik iemand ooit had horen verkondigen? Wel meer vrouwen droegen tegenwoordig een of andere Keltische tekening net boven de tangaslip die ze ook met veel plezier aan iedereen toonden die er oog voor had. Maar dit was geen mysterieus runenteken uit de oudheid. De tekening stond trouwens niet boven het stuitje zoals die andere krullerige tatoeages die ik in het straatbeeld zag, maar meer naar links. En ze had ook niet de traditionele bronsgroene kleur die de meeste van die dessins hadden. Met enig dedain zoomde ik in op de kont van de overleden vrouw. Je vond op het internet tegenwoordig de meest expliciete beelden als je dat wilde, maar het was toch alsof ik een intieme grens overschreed toen ik de billen op mijn scherm dichterbij zag komen. Ik verschoof het beeld over de derrière naar de naakte rug tot het teken bijna de helft van mijn laptopscherm vulde. Het was geen tatoeage, zag ik meteen. Daarvoor was de tekening ook veel te wit. Het was huid die niet meer verkleurde bij het zonnen, littekenweefsel dat het resultaat was van een slecht uitgevoerde operatie. Dat kon ik zelfs als leek zien. God, wat moest die chirurg haast hebben gehad! Het litteken was zo grotesk dat ik me niet kon voorstellen dat het uitgevoerd was door een dokter die ook maar enig respect voor zijn beroep had, laat staan dat de man of vrouw een estheet was. Ik nam een fikse slok van mijn koffie en bekeek het beeld opnieuw. Hoe was deze vrouw op het strand van Zeeland beland? Ik klikte een nieuwe foto open en schrok van het lugubere beeld van de oogbol die als een golfbal op het water dreef. Hoe, vroeg ik me af, was deze vrouw zo verminkt geraakt? Hoe was ze aan haar gruwelijke einde gekomen?

4

In het appartement had ik in een lade van de buffetkast, tussen de toeristische folders met alle mogelijke bezienswaardigheden in de streek, ook een plattegrondje van de omgeving gevonden. Erg gedetailleerd was het niet, maar het dorpje Oostburg stond er wel nog net op. Onder het licht van een laagstaande zon die als een roodgloeiend muntstuk aan de hemel stond, fietste ik nu over de Lange Herenstraat naar het politiebureau in Oostburg. Dat Nederland een fietsland is, merkte ik terwijl ik over het brede pad naast de rijksweg reed. Het was aangenaam peddelen. In Antwerpen was fietsen vaak een sportieve vorm van Russische roulette. Als ik al die rijwielen tussen de auto's zag laveren tijdens het spitsuur, hield ik soms mijn adem in. Zelf deed ik het thuis nooit, om de simpele reden dat ik geen fiets bezat. Ik had er hier in een opwelling een gehuurd – ik was aanvankelijk enkel van plan geweest lange wandelingen langs de zee te maken – en ik had genoten van de tochten die ik had gemaakt, waarbij ik af en toe was afgestapt om een schets en zelfs een aquarel te maken. Nu reed ik ontspannen door de koele avondlucht, al zag ik op tegen de gunst die Lina me had gevraagd. Was het nog niet genoeg dat ik dat lijk had gevonden?

Het bureau van de politie was een wat bunkerachtig gebouw

in vuurrode baksteen. Bij de hoofdingang stonden twee mannen. Toen ik mijn fiets tegen de muur zette, keken ze even vluchtig in mijn richting. Doordat ik de laatste jaren veel processen had bijgewoond, had ik ervaring in het herkennen van een journalist die tegen zijn zin moet wachten. De mannen, al wat op leeftijd en beiden met een niet meer te camoufleren embonpoint, leunden met een air van onverschilligheid tegen de stenen gevel en keuvelden rustig bij het roken van een sigaret in afwachting van het nieuws dat ze zo dadelijk te horen zouden krijgen.

'Wordt hier die persconferentie gehouden?' vroeg ik.

Ze namen me onderzoekend op. Wellicht kenden ze de meeste collega's en waren ze verbaasd dat iemand met een Vlaamse tongval hen aansprak.

'Zo, zo. Ook de Belgische pers is present. Dat maken we hier niet vaak mee, hè, Joris?'

De man die Joris heette keek me vanachter zijn dikke brillenglazen indringend aan. 'Weet jij iets wat wij nog niet weten dat je hiervoor helemaal uit België komt?' vroeg hij.

Ik overwoog even hen te vertellen dat ik het was die die ochtend de gruwelijke vondst had gedaan waardoor ze nu leunend tegen deze gevel een sigaret stonden te roken, maar ik bedacht me en zei: 'Zeeland is toch ook een beetje België. Trouwens, als de politie een persconferentie geeft over een aangespoeld lijk, dan valt er ongetwijfeld nieuws te rapen, niet?'

De beide mannen knikten.

'We kunnen maar beter naar binnen gaan,' zei Joris, die zijn peuk op de grond smeet en met de punt van zijn schoen uittrapte. 'Of we missen het nieuws nog.'

Ik liep achter ze aan het gebouw binnen. Blijkbaar waren ze hier kind aan huis, want ze begroetten met een opgestoken hand een agente achter een balie en liepen aan het einde van de entreehal een gang in. Ik volgde hen. Ze liepen een klein auditorium binnen, waar achter een tafel twee mannen zaten. Ik herkende inspecteur Posthuma, die verrast opkeek. Ik knikte vriendelijk naar de rechercheur en zocht een stoel. Er waren een zevental journalisten aanwezig, telde ik in de gauwigheid. Ook stond er iemand te filmen. Aan het logo herkende ik de regionale zender die ik vanmorgen ook op de dijk had opgemerkt toen ik naar Breskens was gefietst.

De man naast Posthuma schraapte zijn keel en begon met toonloze stem een tekst van een papier af te lezen: 'Vanmorgen is even na tien uur op het strand tussen Breskens en Nieuwesluis het lijk van een vrouw aangespoeld. Op dit ogenblik hebben we haar identiteit nog niet kunnen vaststellen. De vrouw is niet alleen zwaar verminkt in het gezicht, ook is de huid van al haar vingertoppen afgeschaafd. De politie gaat dan ook uit van een misdrijf.'

Ik hoorde achter me een paar journalisten zacht sissen.

De persvoorlichter keek even in hun richting. 'Het is wachten op de gegevens van de lijkschouwing die morgen plaatsvindt. Maar identificatie zal moeilijk zijn. De dader of daders hebben het slachtoffer met opzet onherkenbaar willen maken. Dat is voorlopig het enige wat we over deze zaak kunnen meedelen.'

Ik zag een van de journalisten naast me zijn hand opsteken.

De man achter de tafel knikte.

'Wie heeft het lijk gevonden?'

De persvoorlichter keek in de richting van Posthuma.

Ik zag de inspecteur nadrukkelijk mijn ogen zoeken voor hij antwoordde: 'Een fietser die over de strandweg reed. Verder kunnen we daar geen mededelingen over doen.'

Een andere journalist vroeg: 'Hoe lang heeft de vrouw in het water gelegen?'

'Dat zal de sectie moeten uitwijzen.'

'Is er iets bekend over haar nationaliteit, haar leeftijd?'

'Nee. Voorlopig houden we het hierbij. Wij danken jullie voor jullie komst.'

De persvoorlichter stond op en Posthuma volgde zijn voorbeeld. Terwijl ze naar de deur liepen, werden ze aangeklampt door de journalisten. Ik zag Posthuma, die een vraag van Joris met een abrupte hoofdknik afkapte, op me komen toegelopen. De rechercheur nam me bij mijn bovenarm en trok me wat verder het auditorium in, buiten het bereik van de journalisten die nog in het zaaltje waren. 'U hebt ons vanmorgen niet verteld dat u van de pers bent,' zei hij. Het klonk bars, alsof hij me een zwaar verwijt maakte.

'U hebt het me niet gevraagd,' zei ik. 'Maar ik ben eigenlijk geen journalist. Ik werk voor een krant als rechtbanktekenaar en de hoofdredacteur heeft me gevraagd om deze persconferentie bij te wonen, omdat ik toch in de buurt was. Ik had u tijdens het interview toch verteld dat ik in Breskens met vakantie ben, dacht ik.'

Posthuma knikte.

'Dat van die vingertoppen heeft me wel verrast. De vrouw is dus kennelijk omgebracht?'

'Daar kan ik geen uitspraak over doen,' zei Posthuma. Hij keek me in de ogen. 'We hebben vastgesteld dat u wel erg veel om dat lichaam heen bent getrippeld. Wat was daar de bedoeling van?'

Ik ontweek Posthuma's blik. 'Laten we zeggen dat ik onder de indruk was van de omstandigheden en wat paniekerig reageerde. Ik had nog nooit een dode gezien en ik wist niet goed wat te doen.'

'Het kan zijn dat we u later nog een keer moeten ondervragen,' zei de inspecteur.

'Ik ben nog wel een paar dagen in dat appartement in Breskens,' zei ik. 'U hebt mijn gsm-nummer.'

Posthuma knikte en liep zonder te groeten het auditorium uit.

Ik zag Joris naar me staan staren. Toen ik de gang inliep, klampte de journalist me aan. 'Ik wist niet dat jij dikke maatjes met Posthuma was,' zei hij. 'Wat had hij te vertellen?'

'Geen commentaar,' zei ik en ik liep de hal door naar de uitgang.

'Mooie collega's, die Belgen,' hoorde ik Joris brommen, luid genoeg zodat ik het zeker zou horen.

Buiten diepte ik mijn gsm op en belde ik Lina.

'Hé, Lucas. Wat voor nieuws heb je?'

Ik herhaalde de feiten die ik op de persconferentie had gehoord.

Het bleef even stil aan de andere kant van de lijn.

'Moord, dus,' zei Lina uiteindelijk.

'Dat ze zelfmoord gepleegd zou hebben is in ieder geval uitgesloten.'

'En ze hebben geen vingerafdrukken...'

'Nee, dat haar vingers zo bewerkt zijn, wijst erop dat de dader of daders niet willen dat ze herkend wordt, denk je niet?'

'Dat lijkt me aannemelijk, ja.'

'Het enige wat met zekerheid vaststaat, is dat het om een blanke vrouw gaat.'

'En die autopsie is morgen, zei je?'

'Ja, maar een nieuwe persconferentie hebben ze hier vanavond nog niet aangekondigd.'

'Oké, ik ga nu het artikel schrijven en dan overleg ik daarna nog met Bert wat we er verder mee doen,' zei Lina.

'Ik denk dat ik maar eens een stevige borrel ga achteroverslaan. Het is genoeg geweest voor vandaag.'

'Nog bedankt, Lucas.'

Ik stapte op de fiets en reed Oostburg uit. Het was koud nu en ik had spijt dat ik mijn handschoenen niet had meegenomen. Even buiten het dorp reed ik een rotonde op. Een auto nam precies dezelfde route. Het was een zwarte Audi, zag ik, die gas leek terug te nemen tot op mijn snelheid. Even kreeg ik het gevoel dat ik werd gadegeslagen vanachter het getinte glas. Maar door de donkere ruiten was het onmogelijk de chauffeur of de passagiers te zien. De Audi trok ineens met een hoog toerental op en ik staarde naar de achterlichten die snel uit het zicht verdwenen. Wellicht had ik me maar wat verbeeld en had de chauffeur even ingehouden om de juiste route te vinden.

Terug in het appartement zette ik, nog voor ik mijn jas uitdeed, de muziekinstallatie aan. Ik had absoluut geen zin in stilte. Ik zocht even tussen de stapel cd's die ik had meegebracht en koos resoluut voor Talking Heads en hun album *Remain in Light*. De aanstekelijke ritmes en de markante stem van David Byrne wisten me altijd op te vrolijken. Het was muziek uit de jaren tachtig waar ik nostalgisch van werd, maar die in mijn oren toch nog steeds zeer modern klonk. Ik draaide het volume helemaal open. Vanmiddag had ik bij een slijter een fles wodka van het mij onbekende merk Kalinka gekocht, samen met twee pakken sinaasappelsap. In een longdrinkglas schonk ik een flinke scheut wodka en goot het glas voor de rest vol met vruchtensap. Zo had ik tenminste het idee dat het nog een beetje een gezonde avond kon worden.

5

Ik werd laat wakker. De wodka had er flink ingehakt, merkte ik toen ik de gordijnen opende. Het was bovendien ook nog eens goedkoop spul, zodat de kater des te heviger was. Wat wankel stond ik op mijn benen en ik keek naar de zee die in de verte net als gisteren wild lag te schuimen. Al snel draaide ik me weg van het beeld. De loutere beweging van het water met daarboven een lucht vol jagende wolken maakte me misselijk. Toen ik de woonkamer betrad, zag ik dat de fles Kalinka meer dan voor de helft leeg was. Ik herinnerde me dat ik gisteravond niet alleen had staan dansen op de pompende muziek van Talking Heads, maar ook nog luidkeels had zitten meezingen. Keer op keer had ik het nummer *Once in a lifetime* gedraaid, tot ik de tekst zo goed als uit het hoofd kende. Het was alsof ik de scherpe stem van David Byrne nóg door mijn kop hoorde krijten: *And you may find yourself in a beautiful house, with a beautiful wife and you may ask yourself – well... how did I get here?*

Ik dacht aan Krista. Een mooi huis, een mooie vrouw... en toch zat ik nu hier aan de Zeeuwse kust tijdens een dood seizoen moederziel alleen in een verlaten vakantiepark. Ik schudde mijn hoofd dat bonsde van te veel drank en murmelde: how did I get here? Hoe had die veelbelovende relatie toch nog stuk kunnen lopen? Ik had er geen zin meer in erover na te denken en liep naar de badkamer. Ik nam een douche en poetste mijn tanden. Dat was al het halve werk tegen de kater. Ontbijten kon verder wonderen doen en ik besliste om naar het café te wandelen waar ik gisteren met Wim koffie had gedronken. Het serveerde ook een ontbijt, had ik op een van de plakkaten aan de muur gelezen. Niet dat ik er me veel van voorstelde. Nederlanders hadden er bijvoorbeeld geen idee van wat een goed gebakken brood was. In dit land waren het vaak een soort zoetige sponzen die ik met moeite door mijn keel kreeg. Ik kleedde me aan en liep het appartement uit. In een kiosk kocht ik de NRC en *de Volkskrant* en wandelde ermee naar het café. Even had ik gezocht naar *De Nieuwskrant*, maar die was hier – toch niet eens zo heel ver van de Belgische grens – niet te koop. Het strand was verlaten, op een wandelaar met een grote hond na. Het beest liep, heftig springend alsof het een hekel had aan het koude water, telkens weer tot aan zijn buik de zee in. De labrador schudde het water uit zijn vacht om dan opnieuw achter het stuk hout aan te rennen dat zijn baas met de regelmaat van een klok in de branding smeet. Niet ver daarvandaan had ik gisteren het lijk gevonden. Door de kater leek het alsof dat al veel langer geleden was.

Ik stapte het café binnen. Het was leeg, op een man in een groene overall na die aan de toog zat met een glas bier voor zich. Sommige drinkers begonnen blijkbaar al erg vroeg aan hun dagelijkse inname. Of misschien was het een visser die al uren in touw was en hier zijn goede vangst kwam bezegelen met een pilsje. Achter de tapkast stond de caféhoudster een koffiekop droog te wrijven met een geblokte keukenhanddoek. Ik knikte naar de man met het bier en vroeg de vrouw of ik kon ontbijten.

'Komt er zo aan, meneer,' zei ze. Ze zette het kopje op de koffieautomaat en verdween door een deur.

Ik zocht een plaatsje aan een van de tafels. Terwijl ik op mijn ontbijt wachtte, las ik de kranten. Allebei hadden ze op de binnenlandpagina's een kort bericht over het aangespoelde lijk, maar zonder foto. Er stond niet meer informatie in dan ik op de persconferentie had meegekregen.

Net toen de caféhoudster mijn ontbijt bracht, rinkelde mijn gsm. Ik zag aan het nummer dat het Lina was.

'Ik ben onderweg naar Breskens,' zei ze, toen ik had opgenomen. 'Kunnen we ergens afspreken?'

'Zo!' zei ik, verrast door haar komst. 'Blok vindt het verhaal blijkbaar de moeite waard als hij jou erop zet.'

'Het is toch ook een vreselijke zaak. Bert wil zelfs dat ik een verhaal maak over hoe jij het lijk hebt gevonden. En die autopsie zal wellicht meer duidelijkheid brengen over het slachtoffer. Ik ga praten met politie en officier van justitie. Vaak haal je als journalist meer uit die informele gesprekken.'

'Je kunt het best naar het centrum rijden. Ik zit in een café... Bel me als je er bent, dan vinden we elkaar wel. Zo groot is Breskens niet.'

'Een café, Lucas? Zo vroeg al... is dat jouw idee van een vakantie?'

Ik lachte. 'Er staat hier een uitgebreid ontbijt voor mijn neus. Zeelucht maakt hongerig.'

'Klinkt goed. Ik heb gps in mijn auto. Als je me de straatnaam geeft, dan rij ik er zo naartoe.'

Ik vroeg het aan de caféhoudster en gaf het door aan Lina.

'Oké, dan zie ik je binnen een klein uurtje.'

Terwijl ik at, verdiepte ik me in de rest van het nieuws. Ik vond het prettig om in het buitenland een landelijk dagblad te lezen. Plotseling leek al dat politieke gekrakeel waar de Belgische kranten bladzijden en bladzijden mee vulden – de regeringsvorming hield het land al maanden in de ban – ver van mijn bed. Ik was altijd een nieuwsjunk geweest, maar de laatste tijd vond ik de berichtgeving vaak ondermaats. De grote kracht van kranten was juist dat ze meer achtergrond bij de nieuwsfeiten van de dag leverden. Maar onder invloed van het internet moest het nieuws zo kakelvers mogelijk op de nieuwswebsites. En die trend, zo vond ik, begon je steeds meer terug te zien in de kwaliteitskranten. Kortere artikelen, sensationelere onderwerpen die steeds vaker voorrang kregen, schreeuwerige koppen in steeds grotere corps... ik zat me dikwijls meer te ergeren over de wijze van berichtgeving dan over de berichten zelf. Op de cultuurpagina van de NRC las ik een kort artikel over een schilderij van Magritte dat op klaarlichte dag in een Brussels museum ontvreemd was. Ik las het met ongeloof. Dat was de tweede keer in een maand tijd dat er in een Belgisch museum een doek werd gestolen. En de manier waarop de daders te werk waren gegaan, was identiek: twee mannen waren gewoon via de hoofdentree het museum binnengewandeld en hadden onder bedreiging van een pistool het schilderij van de muur gehaald. Ze hadden het museum langs dezelfde weg weer verlaten, met het doek onder de arm. Van de daders was geen enkel spoor. Vermoedelijk was er een derde medeplichtige in het spel die met een vluchtauto had klaargestaan. Krista had ik wel eens horen beweren dat België een draaischijf was voor gestolen kunst. Volgens haar lagen er in de kelders van het Brusselse Justitiepaleis zoveel teruggevonden en vervalste kunstwerken dat ze er een museum konden openen.

Toen Lina me sms'te dat ze was aangekomen, had ik net mijn tweede kop koffie leeg en was de kater grotendeels bezworen. Ik rekende af en verliet het café. Lina's witte Fiat 500, het populaire bolhoedje van de Italiaanse autofabrikant dat aan een nieuw leven was begonnen, stond wat verderop in de straat geparkeerd. Het was het enige voertuig met een Belgische nummerplaat. Ze stapte met de gsm aan haar oor uit de auto en toen ze me zag komen aanwandelen, wuifde ze even. Ik zwaaide wat schaapachtig terug. Ze droeg een spijkerbroek die strak rond haar benen sloot en in twee kniehoge laarzen met halfhoge hakken verdween. Daarboven had ze een kort jackje van rood leer aan, een kleur die haar goed stond. Het autootje, de kleren... Lina was iemand die van stijl hield. Ze viel in rechtszalen niet alleen op door haar rijzige gestalte, maar ook door haar elegantie, iets wat veel van haar collega-journalisten misten. Ze wees even naar haar telefoon om zich te verontschuldigen toen ik haar bereikte.

'... Middelburg...,' verstond ik en ik zag Lina iets op een blocnoteje schrijven dat ze uit haar handtas had gehaald en op het dak van haar trendy autootje had gelegd.

'Dank u,' zei ze en ze stak haar gsm weg.

We begroetten elkaar met een kus.

'De autopsie is al achter de rug,' zei Lina. 'Vanmiddag om twee uur geven ze opnieuw een persconferentie. Die vindt wel plaats in het hoofdbureau van politie Zeeland. We moeten naar Middelburg, Lucas. Maar eerst wil ik de plek zien waar de vrouw is aangespoeld.'

We stapten in de Fiat en ik gaf aanwijzingen om Lina naar de Panoramaweg te loodsen.

'Ik heb een exemplaar van de krant voor je meegebracht. Hij ligt op de achterbank, als je hem wilt bekijken.'

Ik reikte met een arm naar achter. Terwijl ik De Nieuwskrant beetpakte, meende ik door de achterruit een zwarte auto te zien die net uit een parkeerplaats werd gemanoeuvreerd. Was het een Audi? Ik kon het niet goed zien. Ik bleef kijken, maar voor ik het merk herkende, sloeg de wagen een andere straat in.

'Het artikel staat op pagina drie,' zei Lina.

De voorpagina van de krant werd bijna helemaal ingenomen door een foto van de nieuwe koninklijke bemiddelaar, de zoveelste poging om de regeringsonderhandelingen vlot te trekken. In een klein kadertje werd ook aandacht besteed aan de schilderijdiefstal in het Brusselse museum, zag ik. Ik sloeg de krant open.

'Blok wilde aanvankelijk geen tekening bij de tekst plaatsen. Hij vond het beter een van Wims foto's te gebruiken, maar ik heb hem uiteindelijk toch kunnen overtuigen. Op de foto was het lijk bijna niet te zien. En zeg nu zelf: het heeft toch iets, een krant die ervoor kiest een tekening af te drukken in plaats van een foto.'

Ik had het korte artikel gevonden. Het stond bovenaan de pagina.

Vrouwenlichaam aangespoeld op Zeeuws strand

BRESKENS – Op het strand bij Breskens is gisteren ter hoogte van de vuurtoren een lijk van een vrouw aangespoeld. De Zeeuwse politie gaat ervan uit dat ze het slachtoffer is van geweldpleging. De vrouw was onherkenbaar door verminkingen in het gezicht. Ook stelde de politiearts vast dat de vingertoppen van haar handen waren bewerkt, mogelijk om identificatie te bemoeilijken. Het Zeeuwse parket heeft een onderzoek gestart.

Ik keek naar mijn tekening naast de tekst. Ze was verkleind afgedrukt, maar het beeld gaf toch een goede weergave van het ontzielde lichaam dat ik gisteren had aangetroffen op het strand waar we nu langsreden. De zwarte haarslierten, de bleke billen, het verminkte hoofd, ik keek met ongeloof naar mijn eigen schets. Ik kon Bert Blok wel begrijpen. Veel lezers zouden het beslist vreemd vinden, een tekening in plaats van een foto bij een dergelijk artikel. Maar, zo bedacht ik meteen, de meesten zouden ongetwijfeld ook hevig geschrokken zijn van de foto's die ik met mijn mobiele telefoon had gemaakt.

'Een wonder dat je Blok hebt kunnen overtuigen.'

Lina keek even glimlachend opzij. 'Ik weet hoe ik Bert moet bespelen,' zei ze.

'Daar twijfel ik niet aan,' zei ik en ik vroeg me af wat nu precies de relatie was tussen Lina en Blok.

Toen we een eind langs de zee hadden gereden, wees ik naar het zwart-witte gebouw voor ons. 'Je kunt vlak bij de vuurtoren parkeren.'

Lina stuurde de Fiat naar een parkeerplaats.

We stapten uit.

'Ik weet eigenlijk niet wat je hier nog hoopt te vinden,' zei ik, terwijl ik Lina naar het strand volgde.

'Ik wil gewoon even kijken naar de locatie. Misschien wordt dit wel een echte zaak na de autopsie. Dat is vaak het geval. En dan verwacht Bert een reeks artikelen met achtergronden en zo. Ik vind het toch gemakkelijker om over een zaak als deze te schrijven als ik me ook de plek kan voorstellen waar het lijk is aangespoeld.'

We liepen naar de vloedlijn.

'Toen ik haar gisteren vond, stond het water nog niet zo hoog als vandaag.'

De noordzeewind blies ons in het gezicht en ik moest mijn stem verheffen om me verstaanbaar te maken. Lina kwam dichter naast me lopen.

'Was je over het strand aan het wandelen?'

'Nee, ik was aan het fietsen. Ik reed daar over de dijkweg

toen ik iets bij het water zag liggen.' Ik wees naar de plek waar ik van mijn fiets was gestapt. 'Ik dacht eerst dat het een zeehond was. Of een stuk hout.'

'Fietsen, Lucas? Ik wist niet dat jij zo sportief was.'

Ik negeerde haar ironie. Ik was afgeleid door een auto die traag voorbij de vuurtoren reed: zwart koetswerk, getinte ruiten, en – nu ik wat aandachtiger keek – overduidelijk een Audi. Dezelfde? Het leek te gek voor woorden, maar plotseling had ik het bizarre gevoel dat ik gevolgd werd. De wagen was inmiddels verdwenen, en hoewel ik me voorhield dat het inbeelding was, voelde ik me ineens niet meer op mijn gemak op het strand.

'Kom,' zei ik. 'We kunnen beter naar Middelburg vertrekken als we op tijd willen zijn voor de persconferentie.'

We liepen terug naar de Fiat.

'Heb je nog contact gehad met Krista?' vroeg Lina, toen ze de wagen had gestart. Ze reed niet meteen weg, maar raadpleegde haar blocnote. Nadat ze de gps had geactiveerd, begon ze een adres in te toetsen.

'Nee.'

Lina keerde de Fiat en reed de Panoramaweg op in de richting vanwaar we gekomen waren.

'Je wilt er niet over praten?'

'Nee.'

'Oké, zoals je wilt. Maar misschien moet je wat meer initiatief tonen, Lucas. Laten zien dat je voor je relatie wilt vechten. Sommige vrouwen houden daar wel van.'

'Dan ken je Krista niet.'

'Een harde tante, hè?'

'Hm... Eigenlijk is onze relatie onder een slecht gesternte geboren. En dat was volledig mijn schuld, dat ga ik niet ontkennen. Ik heb haar vertrouwen beschaamd in een zaak waarin ze een schilderij onderzocht voor de politie. Laten we het erop houden dat ik toen belangrijke informatie heb achtergehouden.'

'Je hebt haar met andere woorden belogen.'

Ik had nog nooit met Lina over deze zaak, die ondertussen enkele jaren achter me lag, gesproken. Met niemand eigenlijk. 'Het was geen leugen. Het was... het uitstellen van de waarheid.'

'Moeten we dan niet altijd de waarheid spreken, Lucas?'

'Ik wou dat ik het over kon doen, Lina, geloof me. En toch ben ik het niet met je eens. Een leugen om bestwil klinkt naïef, maar in sommige omstandigheden is het de best mogelijke tactiek.'

'Zoiets moet je niet tegen een journalist zeggen. De waarheid boven water krijgen... dat is het enige wat telt, in mijn ogen.'

Het navigatiesysteem braakte aanwijzingen en voerde ons langs de haven van Breskens. Ik keek naar de veerboot die net bezig was aan te meren. 'Zou het toeval zijn dat het lijk is aangespoeld zo vlak bij de monding van de Schelde?'

'Mm... Het zou kunnen dat de vrouw op zee is gedumpt, maar het kan net zo goed zijn dat ze ergens meer landinwaarts in het water is gedropt en dat ze hierheen is gedreven en aangespoeld.'

'Zou ze dan niet veel eerder zijn opgemerkt?'

'Wellicht wel. Zolang de vrouw niet is geïdentificeerd, kunnen we speculeren wat we willen, Lucas. Hopelijk verschaft die persconferentie straks meer duidelijkheid over haar herkomst.'

Even later reden we door de Westerscheldetunnel.

'Er gaan geruchten dat er ontslagen zullen vallen bij de krant,' zei Lina.

'Jij vertelt me altijd dat jullie redactie al jaren onderbemand is.'

'Dat is ook zo. Maar blijkbaar kan het volgens de uitgever met nog minder mensen. Er komt een reorganisatie van de redactie. Het is al een stressvolle baan, maar nu niemand weet wie van de medewerkers zijn ontslagbrief zal krijgen, is het echt op de toppen van je tenen lopen. Bert is helemaal onge-nietbaar.'

'Zo'n goede journaliste als jij vindt toch zo weer onderdak bij een andere krant.'

'Dank je. Maar het is overal crisis, Lucas. En met mijn ach-tergrond is solliciteren niet makkelijk. Ik was maar wat blij toen Bert me aannam. Het maakte hem niet uit dat ik in het buitenland ben opgegroeid. Dat was juist een troef, zei hij toen ik mijn contract tekende.'

6

Het navigatiesysteem in Lina's Fiat loodste ons feilloos naar het parkeerterrein achter het politiekantoor in Middelburg. Het gebouw waarin het bureau was ondergebracht, lag aan de rand van het historisch centrum, vlak bij een gracht waarvan ik vermoedde dat deze ooit onderdeel was geweest van de oude verdedigingsgordel. Zoals veel gebouwen in de Zeeuwse hoofdstad was het pand van recente datum. Het had opvallend grote rechthoekige dakramen, maar zag er voor de rest uit als een doorsnee kantoorgebouw.

Binnen leidde een agent ons naar de ruimte waar de persconferentie werd gehouden. Tussen de aanwezige journalisten herkende ik Joris, die grapjes uitwisselde met een collega. De opkomst was groot. Samen met Lina zocht ik een plaats tussen de rijen stoelen. Net als in Oostburg zat Posthuma weer aan de tafel waarachter hier nog drie anderen hadden plaatsgenomen. Twee vrouwen in het midden waren druk met elkaar aan het overleggen. Een van hen droeg een uniform met blauwe epauletten die versierd waren met een paar goudkleurige symbolen. Ik herkende een kroontje en gekruiste zwaarden. Op de tafel stond een batterij microfoons met plopkapjes in verschillende kleuren die waren bedrukt met logo's van zenders waarvan ik nog nooit had gehoord. Achter de tafel was een blauw doek gespannen met daarop het politielogo en rechtsboven in grote witte letters POLITIE MIDDELBURG-ZEELAND. Posthuma's kalende hoofd bevond zich precies onder de gestileerde brandende toorts in de O van het politielogo, waardoor hij een raar soort pruik leek te dragen. Ik onderdrukte een glimlach. De rechercheur, die me tussen de aanwezige journalisten had opgemerkt, vatte het blijkbaar op als een begroeting en antwoordde met een hoofdknikje.

De oudste van de twee vrouwen keek op en trok haar donkerblauwe uniformjasje recht. Ze kuchte opvallend. De jongere vrouw naast haar maakte een aantekening op het papier dat voor haar lag.

'Goedemiddag. Heeft iedereen een plaats gevonden? Dan kunnen we beginnen.'

Een paar journalisten zochten nog snel een lege stoel. Het geroezemoes in de zaal verstomde.

'Er is blijkbaar heel wat belangstelling voor deze zaak. Ik zie nogal wat onbekende gezichten, dus ik zal iedereen aan tafel even voorstellen. Ik ben Annemarie de Wit, korpschef van de politie Zeeland. Aan mijn linkerkant zit mevrouw Rubina Windster, chef van de divisie recherche. Aan haar linkerkant verwelkomen we inspecteur Jelmer Posthuma.' De korpschef keek naar de man rechts van haar. 'En dit is forensisch patholoog Huib Staal.'

Ze opende een brillenkoker die voor haar op tafel lag en zette een piepklein, goudkleurig leesbrilletje op. Ze glimlachte kort naar niemand in het bijzonder en begon voor te lezen van het papier dat haar collega haar aanreikte.

'Zoals u vast weet, anders was u hier niet, werd gisteren op het strand bij Breskens het verminkte lijk van een onbekende vrouw gevonden. Omdat het een verdacht overlijden betreft, is opdracht gegeven een sectie uit te voeren. De heer Staal zal u nu de voorlopige resultaten mededelen.' De korpschef zette haar leesbrilletje af en keek opnieuw naar de man naast haar. 'Dokter?'

De patholoog, een corpulente vijftiger met een terugwijkende haarlijn en een vaal gelaat, begon met een monotone stem voor te lezen uit het rapport dat voor hem op tafel lag.

'Afgelopen nacht heb ik een post mortem-onderzoek uitgevoerd op een vrouw van wie het lijk gisterochtend werd aangetroffen op het strand van Breskens. Het slachtoffer droeg geen kleren en evenmin juwelen. Het lichaam is dat van een normaal ontwikkelde vrouw met een lichaamslengte van 1 meter 67 centimeter en weegt 54 kilogram. Het vertoont geen sporen van lijkstijfheid. Een roodkleurige streep loopt rondom de hals en kruist de nek in het midden op de voorkant ter hoogte van de *prominentia laryngea*...'

'Sorry dat ik u onderbreek, dokter, maar wilt u het vakjargon zoveel mogelijk achterwege laten?' Annemarie de Wit zei het met een glimlach.

Staal keek niet op en las verder alsof hij haar niet had gehoord. '... het strottenhoofd dus. De streep is tussen de 8 millimeter en 1 centimeter dik en horizontaal georiënteerd. De huid in de hals boven en onder de ligatuur vertoont sporen van petechieën...' De patholoog pauzeerde nauwelijks merkbaar, '... puntvormige bloeduitstortingen. De afwezigheid van schrammen en de variatie in de dikte van de streep is consistent met een zachte ligatuur, zoals een stoffen band. Er zijn geen sporen gevonden in de hals die ons kunnen helpen bij het identificeren van de gebruikte ligatuur. Twee derde van het hoofd is verpletterd door een stomp voorwerp. Weinig bloeding suggereert dat deze verwonding post mortem is gebeurd. Het valt niet uit te maken of de verminking door mens, dier of omgeving is aangebracht. Linkeroog ontbreekt, rechteroog heeft een diepbruine iris en melkkleurig hoornvlies. De lede-maten zijn gelijk, symmetrisch ontwikkeld en nergens bescha-digd. De vingernagels zijn van gemiddelde lengte en onge-kleurd. De vingerpunten van beide handen zijn geschaafd, waardoor de epidermis is verdwenen. Gebrek aan bloeding suggereert dat dit eveneens post mortem is gebeurd. Er zijn geen andere littekens, markeringen of tatoeages. Inwendig...'

Ik luisterde nog maar met een half oor naar de politiearts. Had ik dat goed verstaan? Geen andere littekens? Ik kreeg de ruwe tekening op de onderrug van de vrouw op mijn netvlies. Dat een politiearts zoiets niet zou vermelden als litteken vond ik verbijsterend. Ik keek met vragende blik naar Posthuma, maar die staarde strak voor zich uit. Ik boog me naar Lina toe die aantekeningen maakte en fluisterde: 'Dit klopt niet.'

'Wat?' mimede ze. Ik wilde antwoorden, maar Lina hield kort haar pen voor haar mond en schreef ijverig verder in het notitieboekje dat ze met haar andere hand op haar schoot hield.

'... de genitale structuur is normaal. Er zijn aanwijzingen van recente seksuele activiteit, maar niets wijst op gedwongen seksueel contact. Stalen van lichaamsvocht, bloed en maagin-houd werden naar het laboratorium gestuurd. De resultaten van het toxicologisch onderzoek zijn echter nog niet bekend.'

De dokter pauzeerde even zonder op te kijken en schraap-te zijn keel.

'Mijn conclusie is dat deze vrouw gewurgd is en dat het lijk na het overlijden is verminkt, mogelijk om haar identificatie te bemoeilijken. Het precieze tijdstip van overlijden kan pas worden vastgesteld na het toxicologisch onderzoek, maar uit mijn bevindingen maak ik op dat de vrouw wellicht acht dagen geleden is gestorven.'

Staal keek in de richting van de korpschef. Het was mij op-gevallen dat de man tijdens het lezen niet één keer had opge-keken naar de zaal vol journalisten.

'Dank u, dokter,' zei Annemarie de Wit en ze wees met haar hand in de richting van iemand die ergens achter me in de zaal zat. 'Meneer Janssen?'

'Is al bekend waar precies de vrouw vermoord is?'

Ik herkende de stem van Joris.

Huib Staal schudde zijn hoofd. 'Het lijk heeft een hele tijd in het water gelegen. Mogelijk is ze ergens stroomopwaarts omgebracht. Ik wacht op de resultaten van het toxicologisch onderzoek, in de hoop dat die meer duidelijkheid verschaffen over het exacte tijdstip en ook over de locatie.'

'En wanneer krijgen we die resultaten?' vroeg een collega van Joris.

'Normaal hebben we die over een dag of zeven,' antwoordde Huib Staal.

Ik verstond de politiearts nauwelijks. De man leek tegen de tafel voor hem te spreken. Andere journalisten staken nu ook hun handen in de hoogte en probeerden de aandacht te trekken van de korpschef. Als een bende opgewonden schoolkinderen begon iedereen door elkaar te praten. Ik gebaarde naar Lina dat ik naar buiten wilde. Ze klapte haar notitieboekje dicht en schoof de pen in de metalen ringen die de bladen bij elkaar hielden.

'Ik blijf nog even luisteren, ik zie je zo wel,' zei ze.

Ik stond op, excuseerde me bij mijn buurman, die zijn benen moest optrekken om me door te laten en verliet de zaal. Posthuma volgde me met zijn ogen, zag ik. In de gang bleef ik even staan. Boven een van de deuren herkende ik de pictogrammen van een toilet en ik liep ernaartoe. Terwijl ik stond te plassen, vroeg ik me af waarom de politiearts niets had gezegd over het litteken. Een dergelijk belangrijk detail zou in elk autopsierapport staan. Hadden mijn handen tijdens het maken van de foto's getrild en was het litteken dat ik meende gezien te hebben niet meer dan een vlek veroorzaakt door bewegings-onscherpte? Camera's in gsm's leveren nu eenmaal niet zo'n goede beeldkwaliteit, en zeker mijn toestel niet, want dat was een goedkoop instapmodel. Hoe langer ik erover nadacht, hoe minder zeker ik ervan was dat het om een hechting ging.

Toen ik het gebouw verliet, merkte ik dat ik het politiebureau via de verkeerde deur had verlaten. Besluiteloos bleef ik staan en trachtte me te oriënteren. Ik besloot naar rechts te lopen en wandelde helemaal om het gebouw heen naar de parkeerplaats, waar ik Lina al aan het stuur van haar Fiat zag zitten. Toen ze me opmerkte, wenkte ze me.

Ik opende het portier en stapte in.

'Waar bleef je?' vroeg Lina, terwijl ze de motor startte.

'Sanitaire stop... Hebben ze nog iets interessants gezegd daarbinnen?'

'Sommige collega's bleven maar doorvragen over de identiteit van het slachtoffer, maar de politie weet op dit moment duidelijk ook niet meer.'

We verlieten de parkeerplaats. Ik aarzelde even, maar besloot voorlopig niks tegen Lina te zeggen over de foto's die ik had gemaakt. Stom dat ik ze al van mijn gsm had gewist en ik niet meteen kon controleren of het nu wel of niet om een litteken ging. Het leek me onwaarschijnlijk dat ik het me had ingebeeld. Ik zou Lina de beelden straks tonen op de laptop in de bungalow. Dan moest zij me maar vertellen of ik die sporen van een hechting nu wel of niet had gedroomd. Waarom was er tijdens de persconferentie geen melding van gemaakt? Hoe hard ik ook mijn best deed, ik vond er geen verklaring voor. Tenzij de politie dit toch niet onbelangrijke detail met opzet had verzwegen. Maar dan diende zich meteen een volgende vraag aan: waarom?

7

Terug in Breskens loodste ik Lina langs de Schelde naar het bungalowpark. Ik schaamde me voor de staat waarin ik vanmorgen de vakantiewoning had achtergelaten. Nog niet eens een week had ik hier alleen doorgebracht, maar de ruimte ademde al onmiskenbaar de atmosfeer van een vrijgezellenflat. In de open keuken stond een afwas van drie dagen en op de ronde salontafel stond een veelzeggend stilleven van een halfvolle fles wodka, een in elkaar gedrukt pak sinaasappelsap en een longdrinkglas met een aangekoekt geel bodempje.

'Wil je iets drinken?' vroeg ik, terwijl ik fles, glas en karton naar de keuken droeg.

'Ik moet eigenlijk eerst een artikel schrijven,' zei Lina die midden in het appartement stond en wat hulpeloos rondkeek. 'Altijd die deadlines... Soms ben ik dat hectische gedoe zó beu!'

'Weet je wat, schrijf jij dat artikel maar, dan zorg ik voor het eten.'

'Koken, Lucas? Ik wist niet dat het een hobby van je was.'

Ik grijnsde. 'Is het ook niet. Misschien vind ik hier in Breskens wel een pizzatent en anders wordt het patat.' Ik sprak het woord uit met een overdreven Hollands accent.

'We kunnen ook uit eten gaan,' zei Lina. 'De rekening presenteer ik dan wel aan Bert als onkosten.'

'Moest Blok niet besparen van zijn bazen? Ik wil je trouwens straks nog iets laten zien.'

Lina had haar laptop uitgepakt en zocht met de stekker van de stroomkabel in haar hand naar een stopcontact. Ze keek om. 'Je maakt me nieuwsgierig.'

Ik stond met de deurknop in mijn hand. 'Schrijf nu maar eerst dat artikel,' zei ik en ik liep de bungalow uit.

Ik wandelde naar het centrum van Breskens. In de slijterij, waar ik eerder die week de wodka had gekocht, zocht ik een fles rode wijn uit. Terwijl ik afrekende, vroeg ik aan de verkoopster of er een pizzeria in het dorp was.

'Hier vlakbij op dit plein, meneer.'

De vrouw kwam er speciaal voor achter haar toonbank vandaan om me het restaurant te wijzen.

'Dank u,' zei ik en ik liep het plein over.

Omdat ik wist dat ze vegetarisch at, bestelde ik in de pizzeria een *Quattro formaggi* voor Lina. Voor mezelf nam ik een pizza *Marinara*, want dat leek me in deze vissershaven een gepaste keuze.

Terug bij het appartement hoorde ik muziek toen ik de sleutel in het slot stak. Ik opende de deur en herkende het nummer *Born under punches* van Talking Heads. Lina stond over mijn bescheiden cd-collectie gebogen. Ze had het doosje van *Remain in Light* in haar handen.

'Goede keuze,' zei ik. 'Jij bent al klaar met dat artikel zo te zien.'

'Ja, ik heb het al doorgestuurd. Zulke dingen schrijven kost me geen moeite. Vreemde muziekcollectie heb je. Behalve Talking Heads en The Clash zijn het bijna allemaal groepen waarvan ik nog nooit heb gehoord.'

'New wave. Muziek van begin jaren tachtig. Toen was jij wellicht nog niet geboren.'

Lina keek me grijnzend aan. 'Bedankt voor het compliment, maar zo jong ben ik nu ook weer niet. Ik ben van '81.'

Dan was ze met haar negenentwintig lentes toch een stuk jonger dan ik al die jaren geschat had. Het was iets rond haar ogen, dat haar ouder maakte. Buiten het feit dat ze journaliste was, wist ik eigenlijk weinig over haar. Ik dacht niet dat ze een vriend had. Ze had er in onze gesprekken nooit op gezinspeeld.

'Wat kijk je?' vroeg ze.

'Niets, niets... Ik heb pizza's meegebracht,' zei ik, terwijl ik de dozen op tafel zette en op zoek ging naar borden en bestek. 'En daar heb ik een goede fles wijn bij.'

De intimiteit voelde vreemd aan nu ik hier samen met Lina in het appartement was en niet met Krista. Hoe goed we elkaar door de reportages in de rechtbanken ook kenden, we waren nog nooit bij elkaar over de vloer geweest. Ik wist dat Lina op Linkeroever woonde, maar waar precies had ze me nooit verteld.

'Hm, een aanlokkelijk voorstel, maar ik zou eigenlijk vanavond nog terug moeten naar Antwerpen.'

'Ach wat, je kunt toch net zo goed hier overnachten. Er zijn twee slaapkamers. Ik wilde je trouwens om een gunst vragen. Mijn vakantie zit er morgen op en ik zou met je mee terug kunnen rijden, als je dat niet erg vindt. Met het openbaar vervoer is het een hele onderneming.'

Ik zag Lina nadenken over mijn voorstel.

'Oké,' zei ze gedecideerd. 'Ik speel wel voor taxi. Je had nog iets van me te goed voor het bijwonen van die persconferentie. Ging je me trouwens niet nog iets laten zien?'

'Ja, een paar foto's. Het zijn behoorlijk gruwelijke beelden. Laten we daarom eerst eten. Het risico bestaat immers dat je anders je pizza laat staan.'

'Jezus, Lucas! Ik weet niet of ik die foto's wel wil zien.'

'Ik weet wel zeker dat ze je zullen interesseren,' zei ik, terwijl ik de fles ontkurkte en twee glazen wijn inschonk. 'Ze zijn van belang voor het onderzoek.'

We aten zwijgend. Het viel me op hoe schrokkerig Lina haar pizza naar binnen werkte. Ik had het haar al vaker zien doen, als we tijdens de onderbreking van een proces snel iets gingen eten. Wellicht was het typisch iets voor een journalist, al verwachtte ik het eerder van een man.

De duisternis was inmiddels ingetreden en ik stond op om de gordijnen dicht te schuiven. Het was aardedonker buiten. Voor ik mijn laptop opstartte, ruimde ik eerst de tafel af. Toen ik de eerste foto op het scherm toverde, keek ik naar Lina. Ze trok bleek weg en zoog lucht tussen haar lippen. 'Mijn God,' mompelde ze en ze schudde haar hoofd, terwijl ze naar het beeld bleef staren.

'Ja, het is schrikken. Ook nu ik de foto's opnieuw bekijk. Ik heb ze gisteren gemaakt met mijn gsm. Daarom is de kwaliteit niet heel erg goed. Wat ik je wilde laten zien is dit...' Ik klikte de zoomfunctie aan en met een paar muisklikken vergrootte ik het beeld tot het bleke achterwerk van de vrouw bijna het gehele scherm vulde. Ik verschoof de afbeelding, die nu korrelig was, tot ik de tekening vond.

'Wat is dat?' vroeg Lina en ze wees met haar vinger naar het lcd-scherm.

Ik wist meteen dat ik me niet had vergist. Maar ik zei niets en liet Lina zelf tot de conclusie komen.

'Het is een litteken, niet?'

Ik keek haar aan en knikte.

Het duurde even voor Lina de volgende stap zette. 'En daar heeft die politiearts vanmiddag met geen woord over gerept!'

'Inderdaad. Ik vind het heel bizar dat dit niet in zijn rapport stond. Het is toch een opmerkelijk slechte hechting, dat kun je zelfs op dit wat ruwe beeld zien.'

Lina stond op en keek me kwaad aan. 'Waarom heb je mij vanmiddag niet verteld dat je deze beelden had? Dan had ik die Staal of hoe die man ook heet, daar meteen mee geconfronteerd.' Ze begon door de kamer te ijsberen. 'Foute naam trouwens voor zo'n bedeesd persoon. Je verstond hem nauwelijks.'

'Ik was er na het horen van het rapport van die dokter Staal zelf niet meer zeker van of ik het wel goed had gezien.'

Lina schudde haar hoofd. 'Ik moet Bert bellen dat ik morgen opnieuw naar Middelburg moet. Ze zullen op zijn minst een verklaring moeten geven waarom ze deze informatie hebben achtergehouden.'

Ik vulde de wijnglazen nog eens. 'Als ze dat litteken bewust hebben verzwegen, zullen ze je die uitleg morgen ook niet geven.'

'We confronteren ze gewoon met de foto's op je laptop.'

'Oké, jij hebt hier meer ervaring mee.'

'Waarom zouden ze het niet vermeld hebben?'

'Dat vroeg ik me ook al af. Misschien willen ze het uit de pers houden, omdat ze aan de hand van het litteken het slachtoffer kunnen identificeren. En zo misschien ook de dader.'

Lina liep heen en weer met het glas wijn in haar hand. 'Denk je dat ze dat door die hechting kunnen?'

'Het slachtoffer identificeren vermoedelijk wel.'

'En de dader?'

'Geen idee. Dat zullen we hopelijk morgen te weten komen. Wil je niet gaan zitten? Je maakt me nerveus met je geijsbeer.'

Lina stopte abrupt met haar heen-en-weergeloop. Ze nam plaats op de bank en nipte van haar wijn. Ze keek om zich heen. 'Heb je hier vijf dagen in je eentje gezeten?' vroeg ze.

'Yep.'

'Ik zou hier gek worden, denk ik.'

'Ik heb veel gefietst. En af en toe ben ik gestopt om wat

schetsen te maken. Het was jaren geleden dat ik voor het laatst in de natuur heb getekend.'

'Mag ik ze zien?'

Ik zocht naar mijn rugzak en haalde mijn schetsblok tevoorschijn. Ik schoof aarzelend naast Lina op de bank, ineens onzeker door het vooruitzicht dat iemand mijn werk ging bekijken. 'Het zijn maar schetsen,' zei ik.

Ze opende het tekenblok waar losse bladen in zaten en bekeek de werkjes een voor een, af en toe een vel wat verder voor zich uit houdend.

Ik keek met haar mee. De meeste waren potlood- en houtskooltekeningen, sommige niet meer dan een opzet, andere erg zorgvuldig uitgewerkt. Een paar zeegezichten had ik met aquarel geschilderd.

'Je zou hier meer mee moeten doen,' zei ze. 'Ik vind ze erg goed. Kijk hier, hoe mooi je het schuimende water in die branding hebt weergegeven.'

'Dank je. Er valt helaas geen droog brood mee te verdienen. Tenminste, mij is het nooit gelukt.'

Lina keek me aan. 'Ik wou dat ik zo'n talent had.'

Ik keek haar even in de ogen en stond toen op. 'Wil je nog wijn? Er is nog een bodempje.'

'Nee, ik denk dat ik maar eens naar bed ga,' zei ze, terwijl ze zich uitrekte. 'Waar is het toilet?'

Ik wees haar de deur van de badkamer. 'De deur ernaast is jouw slaapkamer. Er liggen dekens in de kast, mocht je het vannacht koud hebben.'

'Oké. Ik haal eerst nog even mijn noodtas uit de wagen.'

'Je wat?'

'Ik heb altijd een kleine reistas in mijn auto liggen met wat toiletspullen en extra ondergoed. Als journalist heb ik geleerd dat je maar beter op alles voorbereid kunt zijn. En vanavond bewijst het maar weer eens zijn nut.'

Ze liep de bungalow uit en liet de voordeur openstaan. Terwijl ik mijn schetsboek wegstak, voelde ik een koude tocht langs mijn gezicht strijken. Ik meende de geur van de zee te ruiken. Even later verscheen Lina met een klein handkoffertje.

'Het lijkt hier helemaal uitgestorven,' zei ze, terwijl ze de deur sloot. 'En goh, wat is het hierbuiten donker, zeg! Waar ik als kind woonde, kon het ook zo pikdonker zijn. Dat is iets wat ik in een stad wel eens mis.'

'Opgegroeid op het platteland zeker?'

Lina knikte.

'Was je dan niet bang in het donker?'

'Nee, vreemd genoeg vond ik het juist geruststellend. We woonden bovendien wat afgelegen. Een boerderij in een vallei. Heel idyllisch... Tot de oorlog begon en de Serviërs kwamen.'

Ik keek haar aan. Dat ze van de Balkan afkomstig was, wist ik. Maar ze had nooit over haar jeugd gesproken.

'Hebben ze...' Ik stokte onzeker of ik wel mocht doorvragen.

Lina knikte. Ze knelde het koffertje tegen zich aan. 'Ik heb ontzettend veel geluk gehad. Ik was niet thuis en heb kunnen vluchten.' Ze keek van me weg. 'Maar mijn familie...'

Zonder haar zin af te maken verdween ze met haar koffertje in de badkamer, mij verbouwereerd achterlatend.

Toen ze weer tevoorschijn kwam, durfde ik er niet verder op door te gaan. Lina nam haar laptop van de tafel en liep ermee naar de slaapkamer. 'Misschien kijk ik nog even wat ze vandaag bij de krant hebben gedaan,' zei ze. 'Slaap ze, Lucas.'

'Ik doe nog vlug de afwas. Dan kunnen we morgenvroeg meteen op pad.'

Lina keek naar de stapel vaatwerk op het aanrecht. 'Dat lijkt mijn keuken wel,' zei ze en ze glimlachte. 'Je mag morgenvroeg trouwens altijd op mijn deur komen kloppen als je wakker bent, zodat we vroeg kunnen vertrekken. Ik slaap nogal slecht en neem meestal een pil.'

Ze liep de slaapkamer in en deed de deur dicht.

Nog steeds onder de indruk van Lina's mededeling, die ze bijna achteloos had gedaan, zo leek het me, waste ik af en ruimde ik op. Daarna deed ik de lichten uit en ging naar bed. Omdat ik de neiging had te liggen piekeren, waardoor ik moeilijk in slaap viel en soms wel een halve nacht wakker lag, probeerde ik zo lang mogelijk te lezen voor ik het licht uitdeed. Maar vanavond voelde ik me te moe voor mijn dagelijkse portie lectuur en ook wat roezig door de wijn. Ik besloot meteen te gaan slapen.

8

Midden in de nacht werd ik wakker. Mijn reiswekker op het nachtkastje gaf aan dat het nog maar halfdrie was. Ik knipperde met mijn ogen. Halfdrie, het stond er wel degelijk. God, zo vroeg werd ik alleen maar wakker als ik te veel gezopen had. Maar zoveel wijn had ik vanavond toch niet gedronken. Terwijl ik in het duister naar de led-lampjes lag te staren, meende ik in de woonkamer een zacht geluid te horen. Was het Lina die in het donker op zoek was naar de badkamer en me door haar geschuifel wakker had gemaakt? Waarom deed ze niet gewoon het licht aan? Of kon ze de schakelaar niet vinden? Onder de slaapkamerdeur zag ik een flauw lichtschijnsel, dat heen en weer bewoog, alsof het zich verplaatste. Ineens besefte ik dat het niet Lina was die in de woonkamer rondspookte, maar dat het iemand anders moest zijn. Ik was meteen klaarwakker. Langzaam schoof ik uit bed en op handen en knieën kroop ik zo geluidloos mogelijk naar de deur. Daar liet ik me op mijn buik zakken en ik probeerde met één oog onder de deur door te kijken. Een koude tocht streek over mijn oogbol. Door de spleet meende ik een paar schoenen te zien die af en toe verlicht werden door de stralenbundel van een zaklamp. Vertwijfeld bleef ik liggen kijken naar dat ronddansende licht. Het was mijn eigen schuld natuurlijk. Ik had al die tijd dat ik in dit bungalowpark verbleef de deur nooit op slot gedaan. Maar ik had hier dan ook geen levende ziel ontmoet. Wat meenden dieven hier trouwens te vinden? Ten hoogste wat contanten. Wellicht was het een ordinaire junkie die daar in de woonkamer rondscharrelde. Ik voelde woede opkomen. Wat dacht zo'n pipo wel, dat hij zomaar ergens kon inbreken om zijn dagelijkse roes te onderhouden? Behoedzaam kroop ik overeind. Adrenaline begon door mijn lichaam te pompen en terwijl ik de lichtschakelaar aanknipte, trok ik met een ruk de deur open. In de bundel licht stond een man die helemaal in het zwart was gekleed en een bivakmuts droeg. Ik wilde op hem afstormen, maar nog voor ik twee stappen in de kamer had gezet, voelde ik een trap tegen mijn scheenbeen, waardoor ik abrupt in mijn vaart werd gestopt en struikelde. Terwijl mijn lichaam vooroversloeg, kreeg ik nog een duw in mijn rug en besefte ik dat er nog een tweede inbreker was. Met wapperende armen probeerde ik mijn val nog te controleren, maar ik vond nergens steun en bonkte met mijn hoofd hard op de stenen vloer. Versuft bleef ik liggen. Iemand greep mijn beide handen beet en trok mijn armen zo ruw naar achteren dat een pijnscheut tot in mijn nek schoot. Ik kreunde. Mijn polsen werden samengebonden met iets wat flink in mijn vlees sneed. Ik probeerde tegen te stribbelen, maar dat verhoogde alleen maar de helse pijn. Even was het stil in de kamer, toen hoorde ik een kort gesis en zag ik twee paar schoenen voor mijn neus voorbijschieten die door de openstaande voordeur verdwenen. Een koude zucht wind streek langs mijn voorhoofd. In de verte werd een auto gestart.

Ik probeerde me op mijn zij te draaien, maar bij de minste beweging was de pijn in mijn polsen zo onverdraaglijk dat ik maar wijselijk op mijn buik bleef liggen. Ik begon Lina's naam te roepen, elke keer luider, tot ik hoorde hoe de deur van de slaapkamer aarzelend op een kier werd geopend. Ik draaide mijn gezicht naar de deur en zag haar ogen door de spleet naar me staren. Ik probeerde dom te glimlachen om haar gerust te stellen, maar ik zag dat ze schrok van de toestand waarin ik me bevond. Meteen zwaaide de deur open en in een paar passen was ze bij me.

'Mijn God, Lucas!' riep ze.

'Het is oké, Lina. Maak mijn handen los, wil je? Dat touw of wat het ook is snijdt als een mes door mijn vel.'

'Het lijkt op die plastic bandjes die de politie gebruikt om arrestanten te boeien. Ik zoek even iets om het door te knippen.'

Ik hoorde haar in de keukenladen rommelen.

Ze knielde naast me neer en duwde een koud stuk metaal tussen mijn polsen. 'Dat valt nog niet mee, zeg.' Ze had enkele pogingen nodig om het ding door te snijden.

Uiteindelijk voelde ik hoe ik van mijn boeien bevrijd werd. Ik stond op en masseerde mijn pijnlijke polsen. 'Dank je.'

'Ik moet diep geslapen hebben, want ik heb niets gehoord. Hoe is dit gebeurd?'

Ik liep de woonkamer rond. Gejaagd keek ik om me heen. 'Inbrekers, en zo te zien hebben ze zowel mijn laptop als mijn gsm meegenomen. Voor de rest lijken ze niets anders te hebben gestolen.'

'We moeten de politie bellen,' zei Lina. Ze verdween in de slaapkamer en verscheen weer met de gsm aan haar oor.

'Gelukkig heb jij je notebook en mobieltje mee naar je kamer genomen,' zei ik. Ik hoorde Lina enkele vragen beantwoorden. Ze droeg alleen maar een T-shirt en een slipje. Door de nachtelijke kou priemden haar tepels in de stof. Of was het door de spanning? Ik kon het niet helpen ook naar haar slanke en gespierde benen te kijken.

'De politie is onderweg,' zei ze. 'Denk je dat het toeval is dat ze enkel jouw laptop en gsm gestolen hebben en niets anders?'

'Aan hun outfit te zien waren het geen ordinaire dieven. Zal ik koffie zetten?'

'Ja, graag. Ik ga me even aankleden.'

Ik nam de kan van het koffiezetapparaat en vulde het waterreservoir. Terwijl ik een filter in het toestel deed, bekeek ik mijn polsen. Een rode striem gaf aan waar ik was gekneveld. Ik mocht me gelukkig prijzen dat Lina gisteravond niet naar Antwerpen was teruggekeerd. De inbreker had het bandje zo strak aangetrokken, dat de bloedtoevoer naar mijn handen onvermijdelijk gestremd was geraakt als ik hier langer had gelegen. Ik voelde aan mijn hoofd. Net boven mijn oogkas zat er een forse bult. Terwijl ik koffie in de filter deed, vroeg ik me af of de inbraak enkel gepleegd was om mijn laptop en gsm te stelen. Het zou kunnen betekenen dat de foto's die ik had genomen wel erg belangrijke aanwijzingen bevatten over de identiteit van het aangespoelde lijk. En ook dat ik al een hele tijd in de gaten werd gehouden. Meteen zag ik in gedachten de zwarte Audi weer over de dijkweg rijden. Maar hoe wisten ze dat ik die foto's had genomen? Hadden ze de bungalow al bespied toen ik de foto's zat te bekijken, nadat ik ze van mijn gsm naar mijn laptop had gesluisd? Ik piekerde hier nog een tijdje over door, terwijl de koffie doorliep. Het was een verontrustende gedachte, temeer omdat ik totaal geen idee had door wie ik dan wel werd gadegeslagen.

Toen Lina weer de kamer binnenkwam, reikte ik haar een mok aan. 'Melk, suiker?'

'Nee, gewoon zwart.' Ze blies even in de koffie voordat ze een slok nam. 'Toen ik je daar op de vloer zag liggen, vreesde ik even het ergste. Ik moet zeggen dat jij lef hebt. Om die inbreker zomaar te lijf te gaan...'

'Inbreker-s. Ze waren met z'n tweeën. Ik dacht dat het een junk was. Anders was ik mijn slaapkamer niet uitgekomen. Zo'n held ben ik niet.' Ik keek naar mijn blote benen onder mijn boxershort. 'Ik ga me ook even aankleden.'

Toen ik uit de slaapkamer kwam, zag ik door het glas in de voordeur lichtstralen het vakantiehuis naderen. Even later stopte er een wagen en werd er aangeklopt. Ik deed open en liet een agent binnen die gevolgd werd door een man in een ivoorkleurige regenjas. Aan zijn kale kruin herkende ik inspecteur Posthuma.

'Wij lijken elkaar de laatste dagen wel erg vaak te ontmoeten,' begroette hij me.

'U lijkt dan ook de enige inspecteur hier in de regio.'

'Toevallig had ik nachtdienst. Toen er een telefoontje binnenkwam vanuit dit bungalowpark met de melding dat er was ingebroken, wekte dat mijn nieuwsgierigheid. Zeker toen de agente me vertelde dat het telefoontje van een vrouw kwam met Vlaamse tongval.' De inspecteur keek naar Lina. 'U hebt wel een vreemd accent. Van Duitse afkomst?'

'Nee, Kosovaarse.' Ze stak haar hand uit. 'Ik ben Lina Hasani.'

'U was vanmiddag ook aanwezig bij de persconferentie, niet?' vroeg Posthuma.

'Ja, ik ben journalist bij *De Nieuwskrant*.'

'Dat is de krant waar ik als tekenaar voor werk.'

Posthuma knikte. 'Er is hier dus ingebroken?' vroeg hij en hij keek de bungalow rond.

Ik deed verslag van het nachtelijke bezoek. Ik toonde de inspecteur het witte bandje en de rode striemen op mijn polsen.

Posthuma bekeek de plastic strip die Lina had doorgeknipt. 'Zo te zien waren ze duidelijk op alles voorbereid.' Hij gaf de strip aan de agent. 'En je hebt ze niet herkend? Waren het Nederlanders?'

'Ik heb eigenlijk maar één van beide inbrekers gezien en die droeg een bivakmuts. Wel is het zo dat ik de indruk heb dat ik vanaf het moment dat ik het lijk heb gevonden, gevolgd word.'

'Gevolgd?' vroeg Posthuma.

Ik zag Lina ook met een frons naar me kijken. Nog iets wat ik haar niet had verteld. 'Ik dacht dat het inbeelding was, maar ik heb de laatste dagen herhaaldelijk een zwarte Audi zien opduiken op plekken waar ik me toevallig bevond. Onder meer na die eerste persconferentie in Oostburg.'

'Hm...' Posthuma leek even na te denken. 'En wat dachten ze hier dan te vinden?'

Ik keek naar Lina.

'We weten dat tijdens de persconferentie niet alle informatie over het slachtoffer is verstrekt,' zei ze.

Posthuma trok zijn wenkbrauwen op. 'Waar hebben jullie het over?'

'De vrouw had een litteken op haar onderrug. Wij willen weten waarom dokter Staal dat niet vermeldde tijdens het voorlezen van het autopsierapport.'

'Hoe komen jullie aan die informatie?'

Ik meende een zekere wrevel in Posthuma's stem te horen. 'We hebben foto's,' zei ik. 'Of beter... De dieven zijn er met de laptop vandoor waarop ik ze bewaarde.'

'En hoe zijn jullie aan die foto's gekomen?'

'Vertel ons liever eerst waarom dat litteken zo belangrijk is,' zei Lina.

'Je beseft toch dat jullie bewijsmateriaal achterhouden?'

'We houden niets achter,' zei ik. 'Integendeel, ik zeg je net dat mijn laptop met de foto's is gestolen.'

Posthuma keek me in de ogen. 'Je hebt die vrouw gefotografeerd, is het niet?'

Ik haalde mijn schouders op.

'Ik vond het al vreemd dat je zo rond dat lijk hebt lopen trippelen,' zei Posthuma met een scherpere toon in zijn stem. 'Vertel eens, wat hou je nog meer verborgen?'

'Niets,' zei ik.

Posthuma keek naar de agent naast hem. 'Ik denk, Henk, dat we beiden maar even moeten meenemen naar het bureau. Obstructie van een onderzoek, knoeien met bewijzen...'

De agent knikte.

'Het zal me er niet van weerhouden om een artikel te schrijven,' zei Lina. 'Ook over deze inbraak. Dat litteken is een soort aanwijzing, niet?'

Posthuma zuchtte. 'Goed, laat ik je dan vertellen waarom je dat artikel niet zult schrijven.' Hij wees naar het aanrecht. 'Is die koffie nog warm?'

Ik knikte. Ik nodigde Posthuma aan tafel, schonk een kop in en zette de dampende mok voor de inspecteur neer. De agent sloeg het koffieaanbod af en ging ook niet zitten.

Posthuma leunde naar voren. 'Dit is off the record, laat dat duidelijk zijn,' zei hij en hij keek vluchtig op naar de agent. 'Niemand van de recherche zal deze informatie bevestigen. Als jullie de waarheid vertellen, hebben jullie trouwens geen bewijsmateriaal meer.' Hij nam de mok in beide handen, maar dronk niet van de koffie. 'Een paar dagen geleden hebben we vernomen dat een van de getuigen in een belangrijke zaak verdwenen is. Aan de hand van het litteken hebben we kunnen vaststellen dat het lijk dat meneer Grimmer op het strand heeft gevonden die vrouw was. Ze zou later deze maand verhoord worden.'

Posthuma dronk van zijn koffie.

'Waarvoor zou ze getuigen?' vroeg Lina.

Ik hoorde de gretigheid in haar stem. Een journalist was altijd op zoek naar goede kopij.

De inspecteur schudde zijn hoofd. 'Meer informatie kan ik echt niet geven. We hebben het litteken bewust uit het rapport gehouden. Die informatie zou anderen in gevaar kunnen brengen. Jullie begrijpen dan ook dat wat ik net heb verteld vertrouwelijk is.' Hij keek naar Lina. 'Als journaliste hoef ik jou niet te vertellen hoe belangrijk het is om dat vertrouwen niet te schenden. Er komen echt levens in gevaar als deze informatie te vroeg publiek wordt gemaakt. Dergelijke afspraken zullen er in België, net als hier in Nederland, ook gemaakt worden, neem ik aan?'

Lina knikte. 'Goed, alle begrip. Ik schrijf er niets over zonder dat u mij de toestemming verleent. Maar in ruil wil ik wel dat u mij brieft zodra er nieuwe ontwikkelingen zijn. Dat is een afspraak die een journalist in België ook met de politie maakt.'

Posthuma leek te aarzelen. 'Akkoord,' zei hij, nadat hij even in mijn richting had gekeken. Hij dronk zijn mok leeg en stond op. 'Geeft u mij uw gsm-nummer en ik beloof dat we u op de hoogte zullen houden.'

Lina zocht haar handtas en overhandigde de inspecteur een visitekaartje.

Posthuma bekeek het vluchtig en stopte het in zijn jaszak. 'Kom, Henk, we zijn hier klaar,' zei hij en hij liep achter de agent de bungalow uit.

9

Terwijl ik de deur van de bungalow sloot, zag ik dat de hemel in de verte al begon op te lichten. 'Het heeft niet veel zin om nog in bed te kruipen,' zei ik.

'Ik zou toch niet kunnen slapen,' zei Lina.

'Zullen we dan maar inpakken en naar Antwerpen rijden?'

'Dat lijkt me een goed idee. Dan kan ik thuis even douchen voor ik naar de redactie rij.'

Een halfuur later reden we het vakantiepark uit. Ik dumpte de sleutel van de huurwoning in een brievenbus bij de uitgang. De fiets had ik in de bungalow laten staan. Het kostte me wel de waarborg die ik in het begin van de week voor het rijwiel aan de verhuurder had overhandigd, maar ik was blij dat ik deze plek kon verlaten. Aan de horizon was de lucht al helemaal opgeklaard en ik zag door het portierraam hoe het zwart van het Scheldewater veranderd was in een grauw ceruleumblauw. We reden Breskens uit. Af en toe verbrak de gps-stem de stilte om een routeaanwijzing te geven. Ze stuurde ons uiteindelijk de Expressweg op.

'Wat ik me in deze zaak afvraag, Lina, is hoe de Nederlandse politie een getuige in een belangrijk proces niet voldoende heeft weten te beschermen. Volgens het autopsierapport is de vrouw gewurgd. Dat betekent toch dat de dader wel heel dicht bij het slachtoffer is kunnen komen.'

Lina keek me vluchtig aan. 'Daar heb je een punt.' Ze keek weer naar de weg en sloeg met een vuist op het stuur. 'Fuck!'

Ik schrok van haar uithaal. 'Wat is er?'

'Het zit me niet lekker dat ik dat artikel niet kan schrijven. Als ik het Bert vertel, zal hij woedend zijn.'

'Dit kunnen ze niet al te lang stilhouden, daar ben ik van overtuigd.'

'Weet je wat we die inspecteur ook hadden moeten vragen?'

'Wat dan?'

'Hoe het mogelijk is dat ze die vrouw hebben kunnen identificeren aan de hand van dat litteken. Dat moet toch wel een bijzondere operatie geweest zijn.'

'Het was in ieder geval een opvallende hechting. We hadden op jouw laptop een back-up moeten maken van die foto's.'

'Ja, stom dat we daar niet aan gedacht hebben.'

We stonden stil voor een kruispunt.

'Waarom vragen we het die politiearts niet?' vroeg Lina.

'Denk je dat die zoiets zal vertellen?'

'Hij is geen politieman. Als we een afspraak met hem kunnen maken, krijg ik hem wel aan de praat. Het is het proberen waard. Wacht, ik vraag het meteen aan Bert.'

Lina haalde haar iPhone tevoorschijn uit een vakje in de middenconsole en drukte op een toets. Het verkeerslicht sprong op groen. Met de gsm nog in haar hand zette ze het Fiatje in de versnelling. Daarna bracht ze het toestel weer naar haar oor, terwijl ze met haar andere hand stuurde. 'Bert? Lina hier. Kun je me nog even missen? Ik moet nog wat dingen uitzoeken.'

Ik hoorde Bloks stem, maar verstond niet wat hij zei. De hoofdredacteur leek te schreeuwen.

'Dat kan ik vanmiddag nog doen,' zei Lina onverstoord. 'Ik ben nu in Nederland. Dan kan ik het toch net zo goed ook afwerken, toch?'

Ze wachtte blijkbaar niet op Bloks antwoord, want ze verbrak meteen de verbinding en stak de gsm weer weg. Op de console drukte ze op een toets. 'Even de gps herprogrammeren. Het adres in Middelburg zit nog in het geheugen.'

Drie kwartier later reden we opnieuw het parkeerterrein achter het politiekantoor op.

We wandelden naar de ontvangstdesk.

'Wie zegt dat die dokter Staal hier zijn bureau heeft?'

'Ze zullen hier in elk geval weten waar we hem kunnen vinden,' zei Lina.

Achter de desk zat een vrouw in de microfoon van haar headset te praten. Met een hand gebaarde ze dat Lina en ik even geduld moesten oefenen. Ik schatte haar op ongeveer vijftig. Haar lippen waren vurig rood gestift.

'Sorry voor het wachten. Wat kan ik voor u doen?'

'We zijn op zoek naar dokter Staal,' antwoordde Lina.

'Wie zegt u?

'De patholoog die aanwezig was bij de persconferentie, gisteren.'

'En u bent...?'

'Journalist.' Lina toonde haar perskaart. 'We hebben nog enkele vragen voor hem.'

'Nou, jullie hadden beter eerst even kunnen bellen. Dokter Staal is al lang weer terug naar Den Haag.

'Hebt u ook een adres?'

De receptioniste zuchtte. Ze zocht een blaadje papier, schreef er enkele regels op en overhandigde het me. 'Alsjeblieft, meneer,' zei ze met een overdreven glimlach op haar vuurrode lippen.

'Bedankt,' zei ik op een toon die haar gemaakte lachje minstens evenaarde.

Terwijl we naar de auto liepen, overtuigde Lina me ervan

dat Den Haag een omweg van hooguit een uur was. 'We kunnen de zaak beter nu uitspitten, want Bert zal me hier niet nog meer tijd voor geven.

Het was al bijna middag toen we de bezoekersparkeerplaats van het Nederlands Forensisch Instituut opdraaiden. Het bunkerachtige gebouw lag vlak naast de snelweg op een industrieterrein aan de rand van een van die typische Nederlandse nieuwbouwwijken, die me steevast deden denken aan Little Boxes van Malvina Reynolds: 'Little boxes all the same... all made out of ticky tacky. And they all look just the same.' Het was een oude song, opnieuw populair geworden dankzij de tv-serie Weeds waar ik af en toe met plezier naar had gekeken toen ik nog bij Krista woonde.

De receptioniste van het NFI was een heel stuk vriendelijker dan haar collega in Middelburg. Ze betreurde het dat we niet gebeld hadden voor een afspraak en zei dat Staal was gaan lunchen op zijn vaste adres in het winkelcentrum van Ypenbrug. Ze haalde zelfs een kaart en spreidde die open op de receptiebalie om de locatie aan te wijzen. Omdat het volgens de vrouw minder dan tien minuten lopen was, besloten we het Fiatje achter te laten op de parkeerplaats.

U kunt het niet missen met al die torens, had de receptioniste ons verzekerd en even later zagen we de hoge bouwsels voor ons oprijzen. We stevenden op het enorme complex af dat in rode baksteen was opgetrokken. Bij een tramhalte hingen enkele jongens tegen de ijzeren balustrade. Ze deden er alles aan om het begrip hangjongeren zo natuurgetrouw mogelijk uit te beelden en ze gaapten ons aan toen we ze voorbijliepen. Ongegeneerd lieten ze hun blikken over Lina's lichaam gaan en net toen we ze een eindje voorbij waren, hoorde ik er eentje fluiten.

'Kijk, daar word ik als vrouw nu niet vrolijk van,' zei Lina, die haar arm opstak en het groepje haar middenvinger toonde.

Het gevolg was dat er nog meer gefloten werd.

'Laat nou maar,' zei ik. 'Ik wil hier geen gedoe.'

We vonden de snackbar waar Staal alleen aan de toog op een barkruk zat, zijn corpulente achterste met moeite tussen de twee aluminiumkleurige armsteunen van de kruk geperst. Voor hem stonden twee lege pilsjes en een bord met een broodje. Op twee mannen aan een hoektafel na was het café leeg. Ik knipoogde naar Lina en we gingen elk aan een kant van de dokter zitten. Staal zette zijn derde pilsje, dat al halfleeg was, neer en staarde ongegeneerd naar Lina. Mij negeerde hij.

'Ken ik jou niet ergens van? Wacht, niets zeggen... ik vergeet nooit een mooi gezichtje.'

Lina stak haar hand uit.

'Aangenaam. Lina Hasani van *De Nieuwskrant*. En dit hier is mijn collega Lucas Grimmer. We hebben gisteren uw voorlopig sectierapport gehoord op de persconferentie in Middelburg. Mogen we u enkele vragen stellen?'

Staal drukte aarzelend haar uitgestoken hand. Mij bleef hij straal negeren. 'Nou, ik weet niet of...'

'Vindt u het erg dat we eerst iets bestellen?' vroeg Lina, terwijl ze haar mooiste glimlach tevoorschijn toverde. 'Mijn collega en ik hebben vandaag nog niets gegeten en we sterven allebei van de honger. Ze leunde een beetje voorover en bleef Staals hand vasthouden. 'Mag ik u ook iets aanbieden? Nog een biertje?' Ze liet de hand van de politiearts los en bestelde zonder op een antwoord te wachten drie pilsjes bij de barman.

'Voor mij ook een kaassandwich en voor mijn collega...' Lina bestudeerde even het zwarte bord achter de toog waarop met een wit krijtje de specials van de dag waren geschreven. '... een broodje kalfskroket.'

Ik kon met moeite een kreun onderdrukken. Lina had een apart gevoel voor humor. Ze wilde me enkel plagen, want ze wist dat ik dat broodje kroket nooit zou aanraken, hoeveel honger ik ook had. Ik zei niets, maar observeerde hoe Lina de arme dokter helemaal inpakte. Als de situatie het vereiste, dan haalde ze haar verleidelijkste charmes naar boven. Ik had het haar in de rechtszalen wel vaker zien doen: stoere advocaten die leken te smelten onder haar blikken. Je moest als man al behoorlijk nuchter zijn om daar niet in te trappen. En Staal was allesbehalve nuchter. Hoewel de dokter minstens drie pilsjes op had, lag het broodje-onbestemd te verweken op het bord voor hem. Hij had er nauwelijks in gebeten.

'Dokter, gisteren tijdens de persconferentie, bent u toen niet iets vergeten te vermelden?'

Lina keek Staal recht in de ogen.

'Het litteken?'

Ik was verrast. De patholoog wist blijkbaar meteen waar Lina het over had.

'Ik heb opdracht gekregen dat in mijn voorlopige sectierapport niet te vermelden. Maar hoe weten jullie van het litteken af? We hebben het daar gisteren helemaal niet over gehad. Die informatie moest voorlopig geheim blijven.'

'We hebben zo onze bronnen, dokter. Waarom moest u die informatie verzwijgen?'

De barman zette onze bestelling op de toog en nam de drie lege bierglazen weg.

'Verzwijgen is een groot woord. Er is me gewoon gevraagd het uit het voorlopige rapport te houden. Waarom, dat is me niet gezegd. In mijn definitieve rapport zal ik het in elk geval vermelden. Ik heb geen zin om problemen te krijgen met de rechtbank.'

Lina keek hem niet-begrijpend aan.

'Mevrouw, ik ben een beëdigd ambtenaar. Als ik dergelijke pertinente informatie niet vermeld in het rapport, kan me dat mijn baan kosten.'

Staal nam een slok van zijn vierde pilsje. Ik dronk van mijn glas en knipoogde naar Lina die een hap van haar sandwich nam.

'Ja,' zei de dokter die met de achterkant van zijn hand het schuim van zijn lippen veegde. 'Dat was niet mooi, dat litteken. Die arme mevrouw is geopereerd geweest door een of andere amateur.'

Lina keek vluchtig in mijn richting. 'Over wat voor soort operatie gaat het? Hebt u dat kunnen vaststellen?' vroeg ze.

'Een nieuwe nier. Die mevrouw heeft enkele jaren geleden een donornier gekregen. Maar de operatie is beslist niet in een van onze ziekenhuizen uitgevoerd. Geen van onze chirurgen zou daar mee wegkomen. Het is trouwens een wonder dat ze die ingreep heeft overleefd.'

'Nog een laatste vraag, dokter. Hebt u kunnen achterhalen waar de operatie is uitgevoerd of waar de vrouw vandaan kwam?'

'Nee, nee. Daarvoor is het wachten op de resultaten van het toxicologisch onderzoek. Maar als je het mij vraagt, is ze zeker niet afkomstig uit deze streek.'

Lina legde een briefje van tien euro op de toog. Ze keek naar de ober die glazen stond te spoelen. De man knikte.

Lina schoof van haar kruk. Ze gaf Staal opnieuw een hand.

'Dank voor uw tijd. U hebt ons enorm geholpen,' zei ze.

Staal schudde Lina's hand. Hij leek moeite te hebben deze los te laten.

Ik stond ook op en Staal negerend volgde ik Lina naar buiten.

We verlieten het winkelcomplex.

'Rare kerel,' zei ik.

'Die Staal lijkt me iemand die alleen met een paar biertjes op in staat is om in lijken te snijden.'

'Het is nu in ieder geval duidelijk dat de vrouw geïdentificeerd kan worden aan de hand van het litteken.'

Toen we de straat inliepen vanwaar we gekomen waren, zag ik dat het groepje jongeren nog steeds bij de tramhalte rondhing. Ik schatte het vijftal niet ouder dan vijf- of zestien. Ik nam hen wat beter op. Een bijzondere mix vormden ze: de ene had een gemillimeterde coupe met enkel vooraan op zijn kruin een grote toef haar, de andere een in alle richtingen uitdeinend rastakapsel. Hun drie kompanen droegen een petje met een lange klep, zodat hun gezichten nauwelijks te zien waren. Alle vijf droegen ze sneeuwwitte gympen die er nagelnieuw uitzagen. Toen we ze voorbijliepen, verwachtte ik opnieuw hun bronstige gefluit te horen, maar het bleef stil. Het leek zelfs of ze ons niet opmerkten. Maar toen ik omkeek, zag ik ze in beweging komen en de tramhalte verlaten. Begonnen ze ons te volgen? Die indruk kreeg ik, maar zeker was ik er niet van, want het gebeurde achteloos, alsof ze toevallig dezelfde richting uit moesten.

'We kunnen maar beter doorstappen,' zei ik tegen Lina.

'Je bent toch niet zo'n bange blanke man, Lucas, mag ik hopen?'

'Ik heb je al gezegd dat ik geen held ben. Ik wil geen gedonder.'

De jongeren waren ons dichter genaderd. Ik hoorde het aan hun gebabbel, dat overdreven luid klonk. Toen ik omkeek zag ik een van hen, de jongen met het toefje haar op de kruin en onmiskenbaar de leider van de groep, naar me grijnzen.

Lina en ik staken een kruispunt over en de weg werd hier breder. Aan onze rechterkant lag een gracht, met daarachter, verscholen in het groen, een rij villa's, ongetwijfeld de residenties van rijke Hagenaren.

'Ik moet even Bert bellen,' zei Lina, terwijl ze met een vinger op het scherm van haar iPhone begon te tikken. 'Hij moet zich ondertussen ongerust beginnen te maken waar ik blijf.'

We liepen hier helemaal alleen over het voetpad, stelde ik vast, op die bende jongens na die achter ons liep. Het leek wel alsof het groepje gewacht had op het moment dat Lina haar iPhone naar haar oor bracht, want plotseling verstomde achter me het gebabbel en hoorde ik het geluid van rennende gympen over de straatstenen. Nog voordat ik me kon omdraaien, kreeg ik een por in mijn rug. Ik struikelde en terwijl ik moeite deed om mijn evenwicht te bewaren, zag ik de jongen met de toef op zijn kruin er met Lina's iPhone vandoor gaan, gevolgd door zijn kompanen. Toen ik mijn evenwicht had hervonden en keek waar Lina was, zag ik haar tot mijn verrassing en ontzetting achter de dieven aan rennen. Met haar kniehoge laarzen liep ze vliegensvlug het groepje na. Ze was snel, veel sneller dan die kereltjes, waar ze al rennend met haar forse gestalte boven uittorende en waarvan er eentje met verbaasde blik omkeek. Voor ik goed en wel begreep wat er gebeurde, had ze de jongen met de iPhone bij zijn kladden. Zelf was ik ook al in beweging gekomen en ik liep naar haar toe zo vlug ik kon, terwijl ik keek hoe Lina de jongen met een eenvoudige beweging op de grond dwong en hem met een arm op zijn rug in bedwang hield. Het leek alsof het haar geen enkele moeite kostte. Met een knie in zijn nek drukte ze zijn gezicht tegen de grond. Haar iPhone had ze uit zijn vuist gewrongen en ze stak hem in de achterzak van haar jeans. De andere jongens waren gestopt. Ze leken niet goed te weten wat te doen, want ze bleven staan en keken naar hun maatje, die zich nog probeerde vrij te worstelen, maar hij was geen partij voor Lina.

'Zeg tegen je vriendjes dat ze verdwijnen, of we bellen de politie,' zei ze.

De jongen onder haar murmelde wat geluiden.

'Lucas!'

Ik trok mijn gsm. Mijn hand trilde van de inspanning en de adrenaline. Te laat besefte ik dat mijn mobieltje gestolen was. Terwijl ik deed of ik moeite had om het toestel uit mijn binnenzak op te diepen, riep ik: 'Hebben jullie haar niet gehoord? Oprotten!'

Ze aarzelden, maar toen er eentje wegslenterde volgden de anderen meteen.

Ik zag Lina de jongen onder haar fouilleren. Met vlugge bewegingen gingen haar handen over zijn vest en broek. Ze haalde een voorwerp uit zijn vestzak. Het was een mes dat ze in mijn richting gooide.

Ik ving het op. Het was een knipmes, zag ik.

'Jij ook wegwezen,' zei Lina, die de jongen bij zijn kraag omhoogtrok, terwijl ze zijn arm nog steeds op zijn rug hield.

Toen hij op zijn benen stond, duwde ze hem van zich weg.

Met tegenzin ging de jongen zijn maatjes achterna. Toen hij een eindje van ons verwijderd was, riep hij: 'Kuthoer! Takkenwijf! Ik hoop dat je kanker krijgt, bitch!'

Lina negeerde hem.

Ik keek haar aan. 'Wat bezielde je?'

Ze haalde haar iPhone tevoorschijn. 'Ik ga die ettertjes mijn gsm toch niet laten afpakken?'

'Dit had fout kunnen aflopen,' zei ik en ik toonde haar het mes.

Lina haalde haar schouders op.

'Waar heb je dit geleerd?'

'Wat?'

'Zeg nu niet dat het gewoon een ingeving was. Een normaal iemand doet zoiets niet.'

Ik zag Lina aarzelen, terwijl ze me opnam.

'In het leger. Ik heb een paar jaar dienst gedaan.'

'In Kosovo?'

Lina knikte. 'Het bevrijdingsleger. Een bikkelharde opleiding was het. Maar het was oorlog en ik vond dat ik iets moest doen.'

'Was dat nadat je familie...'

Opnieuw aarzelde ze. 'Ja,' zei ze en ze keek van me weg.

'Heb je ook meegevochten?'

Lina haalde haar schouders op. 'Ik heb het er niet graag over.'

Ze bukte zich en sloeg wat stof van haar jeans. 'Ik moet Bert bellen,' zei ze en ze staarde naar de iPhone in haar hand. Ze leek te aarzelen.

'Die heeft het live kunnen volgen, lijkt me.'

Lina tikte met een vinger op het schermpje van haar slanke mobiel. Ze kreeg vrijwel meteen verbinding, want ze zei, terwijl ze naar me keek: 'In Den Haag...'

Door het luidsprekertje van de iPhone hoorde ik Blok onmiskenbaar tekeergaan.

Lina hield het toestel ostentatief bij haar hoofd vandaan. 'Rustig maar, Bert,' zei ze, toen ze het toestel weer naar haar oor had gebracht. 'Het was niets; gewoon een akkefietje...'

Ik keek naar Lina's gezicht, maar dat verraadde niet of ze nog onder de indruk was van het voorval. Een akkefietje, noemde ze het, alsof ze het weglachte.

'Ja, ja... We lopen nu naar mijn auto. Jahaa, Bert,... Ik zie je straks.'

Meteen verbrak ze de verbinding en stak haar iPhone weg.

Zwijgend liepen we de weg terug naar de parkeerplaats van het NFI. Toen we in haar Fiatje stapten, startte ze niet meteen de motor. Ze bekeek zichzelf eerst even in de achteruitkijkspiegel. Met haar handen ging ze door haar kapsel om het te fatsoeneren.

'Wat doen we hiermee?' vroeg ik, toen ze de sleutel in het contact stopte. Ik toonde haar het knipmes.

Lina nam het van me over en zonder iets te zeggen stapte ze weer uit. Ik zag haar over het parkeerterrein naar een vuilnisbak lopen. Ze keek even in mijn richting en hield het mes van zich af tussen duim en wijsvinger. Toen liet ze het in de bak vallen met een gebaar alsof het iets was dat een eind in de wind stonk.

10

De gps stuurde ons via de E19 richting Antwerpen. Terwijl we over de snelweg reden, probeerde ik in gedachten de film van de overval te reconstrueren. Het was allemaal als in een flits verlopen. Ik zag nu pas goed hoe onbevreesd Lina achter die kereltjes was aangegaan en hoe ontstellend vlug en behendig ze hen had aangepakt. Als het mij alleen was overkomen, had ik ze mijn gsm gewoon laten houden. Zoveel waarde hechtte ik er niet aan. Dat er mensen stierven voor zoiets onnozels als een mobiele telefoon, zei veel over onze samenleving. Maar misschien had Lina wel gelijk en mochten we niet toegeven aan de terreur van inhalige idioten.

'Reageer jij altijd zo... vinnig?' vroeg ik.

'Het waren kinderen, Lucas.'

'Het was ook maar een iPhone.'

'Dat mobieltje is niet zo belangrijk. Wel de informatie die het bevat.'

'En als die jongen zijn mes had getrokken? Wat had je dan gedaan?'

Lina keek opzij. 'Geen idee, Lucas. Dan was het een andere situatie. Nu had ik de verrassing aan mijn kant.'

'Oké, nu begin ik te geloven dat je soldaat bent geweest. Een verrassingsaanval... zo redeneert een militair.' Ik probeerde me Lina voor te stellen in een legeruniform.

'Ach, ik weet gewoon hoe je zo'n situatie moet inschatten,' zei ze. 'Het stelde niets voor.'

Toen we Antwerpen naderden, werd het verkeer drukker.

'Je mag me bij jou thuis afzetten, Lina. Dan neem ik op Linkeroever wel de tram.'

'Ik zet je toch gewoon even in de stad af. Dat kwartiertje meer of minder zal het verschil niet maken. Bert loopt toch al te zeuren dat ik laat ben.'

'Zoals je wilt, maar het is wel omrijden voor jou.'

Op de Antwerpse Ring richting Kennedytunnel belandden we in de avondspits. Die begon steeds vroeger. Zelfs om drie uur was de kans groot dat je vaststond op de ring.

Lina zuchtte. 'Ben ik blij dat ik niet in de stad woon. Als ik elke dag door die tunnel moest om naar de redactie te rijden, dan werd ik gek. Ik ben speciaal op Linkeroever gaan wonen omdat *De Nieuwskrant* er haar kantoor heeft.'

'Ach, straks zijn alle fileproblemen rond Antwerpen opgelost als ze die nieuwe tunnels bouwen.'

'Geloof je dat echt?'

'Blijkbaar klonk ik niet cynisch genoeg.'

Lina lachte. 'Bert is blij met al dat gekrakeel over de Lange Wapper en die tunnels. Dat verkoopt kranten, zegt hij.'

Ik hoorde het de hoofdredacteur brommen.

'Jij mag Blok wel, niet?'

Lina antwoordde niet meteen.

Ik verwachtte al geen reactie meer op mijn vraag, toen ze zei: 'Hij heeft me een kans gegeven bij de krant. Met mijn achtergrond lag dat niet voor de hand. En ik had bovendien niet eens de juiste diploma's, maar dat vindt hij minder belangrijk.'

'Uiteindelijk is het ook maar een stukje papier.'

De file voor ons vertraagde. Lina schakelde terug. Stapvoets schoven we aan.

'Ik ben wel onder aan de ladder moeten beginnen. Ik mocht meelopen met een oudere collega die gespecialiseerd was in gerechtsverslaggeving. Van die man heb ik eigenlijk het vak geleerd. Veel journalisten willen geen dagen meer doorbrengen op een houten bank in een rechtszaal om te luisteren naar al die procedures en naar dat vaak wat moeilijk te volgen jargon. Ook kost het soms heel wat moeite om die arresten te lezen. Er zijn collega's die dat nauwelijks nog doen, maar ik vind dat je geen goed artikel kunt schrijven als je je daar niet in verdiept.'

'Toen ik begon met het maken van die tekeningen voor De Nieuwskrant hoorde ik niet eens wat er in de rechtszaal werd verteld, zo concentreerde ik me op mijn schetsen. Maar gaandeweg ben ik toch beter gaan luisteren. Het is alsof je de hele samenleving voorbij ziet trekken aan die mannen en vrouwen in hun zwarte toga's met die gekke slabbetjes. Ik vraag me soms wel eens af of die uitrusting wat kleding betreft bewust aan een carnavalskostuum doet denken om wat er vaak aan gruwelijks naar boven komt toch een beetje dragelijk te maken voor mensenoren. Ken je het schilderij De goede rechters van Ensor?'

Lina keek even opzij. 'Nee. Ik weet niet zoveel van kunst.'

'Wel, daar doet een rechtszitting me altijd aan denken. Ik zal het je wel eens laten zien.'

'Ik vind het fascinerend. Al die verhalen... Elke zaak leert je iets nieuws over de mens. Het dunne laagje vernis dat onze beschaving eigenlijk is.'

De file op de Antwerpse Ring was hardnekkig. Het kostte ons nog bijna een kwartier voor we de afrit naar het centrum konden nemen. In de straat waar ik woonde, zocht Lina naar een parkeerplaats. Ze vond een plek tegenover het appartement en stuurde het bolhoedje behendig de ruimte in, tot tegen het trottoir. 'Ik denk dat ik vanmiddag die inspecteur nog even bel,' zei ze. 'Ik vraag me toch af waarom ze dat litteken uit de pers hebben proberen te houden.'

Ik nam mijn reistas van de achterbank en opende het portier. 'Benieuwd of die Posthuma iets zal loslaten. Je mag het me altijd laten weten. Ik ben ook wel nieuwsgierig naar zijn verklaring. Nog bedankt voor de taxirit.'

'Graag gedaan, Lucas. En euh... sorry voor de omweg,' zei Lina. Plotseling wees ze naar het gebouw waarvan ik de twee onderste verdiepingen bewoonde. 'Zo te zien heb je bezoek,' zei ze.

Ik gooide het portier dicht en slikte. Krista stond met een kartonnen doos voor mijn voordeur. In de Fiat boog Lina nog heel even met een opgestoken duim naar het raam en reed toen weg. Ik stak de straat over. Wat onwennig begroette ik Krista, die de doos op de grond zette. Ze leek verrast me te zien.

'Was dat niet die journaliste? Ik dacht dat je met vakantie was.'

'Lina moest voor een zaak in Middelburg zijn. Ze is me komen oppikken.' Ik besloot Krista niets te vertellen over wat ik in Breskens en in Den Haag had meegemaakt.

Er viel een ongemakkelijke stilte.

Krista wees naar mijn voorhoofd. 'Wat heb je daar? Iets te onstuimig geweest?' vroeg ze en ze probeerde te glimlachen.

'Oh, die bult...' Onwillekeurig ging een hand naar mijn voorhoofd en met mijn vingers voelde ik even aan de forse buil. 'Een stomme tuimelpartij.'

Krista keek me onderzoekend aan.

'Nee, echt. Ik ben vannacht domweg gestruikeld in die vakantiewoning.'

'Je verlof was heftig, zo te horen.'

Ik negeerde haar sarcasme. 'Ik vind nog altijd dat we samen hadden moeten gaan.'

Krista ging er niet op in. 'Ik heb nog wat spullen van je ver-zameld. Omdat ik hier toch in de buurt moest zijn, dacht ik: ik breng ze even. Het was eigenlijk niet de bedoeling dat ik je hier zou aantreffen. Ik dacht dat je pas morgen zou terugkeren uit Breskens.'

'Omdat Lina me een lift wilde geven, ben ik een dag eerder teruggekeerd.' Ik keek naar de doos. 'Kom je niet binnen?' vroeg ik en ik zocht haar ogen. Ze stonden dof, vond ik.

'Nee, ik ben al laat.' Ze opende haar handtas en graaide er met haar vingers in. Ze haalde iets tevoorschijn waaraan een rood labeltje hing.

Ik herkende het voorwerp. Met tegenzin nam ik het aan. Het was de sleutel van het appartement, die ik haar enkele we-ken na het begin van onze relatie had gegeven.

'Ik was van plan hem in je brievenbus te droppen, maar nu je er toch bent...'

Ik keek haar aan. 'Dit is dus wat je wilt?'

'Laten we elkaar niet voor de gek houden, Lucas. Geloof me, dit is de beste oplossing voor ons beiden.' Krista draaide zich om en liep naar het trottoir.

Ik keek haar niet na. Ik stak de sleutel in het slot en opende de voordeur. Ik nam de kartonnen doos op, liep naar binnen en sloot de deur.

11

De volgende morgen ging ik naar een Mobistar-winkel om een nieuwe gsm aan te schaffen. Ik kocht opnieuw een goedkope Nokia met camera, zodat het me weinig moeite zou kosten om de bediening onder de knie te krijgen. De jonge verkoper probeerde me een veel gelikter model aan te smeren dat niet veel groter was dan het instapmodel dat ik had gekozen, maar wel een flink stuk duurder was. Een smartphone noemde de verkoper het en hij schoof het open, zodat er een minuscuul toetsenbordje tevoorschijn kwam. Als ik het goed begreep, was het niet minder dan een computer in pocketformaat en bleek het kleine ding zo smart dat het zo goed als mijn hele leven kon overnemen. Daar had ik geen zin in, maakte ik de verkoper duidelijk, en ik bleef tot zichtbare teleurstelling van de jongen bij mijn eerste keuze: een eenvoudig toestelletje waarmee ik mobiel kon bellen, tekstberichten kon versturen en zo af en toe een foto maken. Hoe vaak gebeurde het niet, vroeg ik me af, dat mensen die een winkel binnenstapten na de goede raad van een gewiekste verkoper naar huis gingen met een duur toestel dat ze nooit van plan waren geweest te kopen en waarvan ze nog geen fractie van alle functies ooit zouden gebruiken. Op de terugweg liep ik langs de bakker en de slager.

Toen ik weer thuis was en de voordeur opende, hoorde ik de telefoon in de woonkamer rinkelen. Ik legde mijn boodschappen en het doosje met mijn nieuwe mobieltje op tafel en nam het draagbare toestel op dat naast de fauteuil op een laag tafeltje stond.

'Met Lucas Grimmer.'

'Dag maestro. Met Gerard Kuipers.'

Het verraste me dat ik de inspecteur aan de lijn had. Kuipers was goed bevriend met Krista en die had, toen onze relatie nog pril was, de inspecteur voorgesteld om haar nieuwe vriend aan een baantje als politietekenaar te helpen. Kuipers had wat telefoontjes gepleegd en voor ik het goed en wel besefte, kreeg ik mijn eerste opdracht: een profieltekening maken van een bankovervaller aan de hand van de getuigenis van de filiaalhouder. Die eerste sessie was wat stroef verlopen. Groot was dan ook mijn verbazing toen de dader de volgende dag al werd opgepakt.

'We hebben je tekentalent nodig,' zei Kuipers. Het was lang geleden dat ik de inspecteur gesproken had.

'Nu meteen?' Meestal was het dringend als de politie een robotfoto – zo noemden ze het, maar eigenlijk was het een tekening – wilde laten maken.

'Ja, ik leg het je hier op het bureau wel uit. Ik heb een patrouille de opdracht gegeven je op te pikken, zodat we geen tijd verliezen. Ze kunnen ieder moment aan je deur staan.'

'Ik wilde net ontbijten...'

'Een kop koffie kan je hier wel krijgen. Tot zo meteen.'

Ik liep de gang in en de trappen op naar de eerste verdieping. Gerieflijk was het appartement dat ik huurde allerminst, doordat de slaapkamer op de eerste etage slechts te bereiken was door de gemeenschappelijke traphal. Maar de huurprijs was zo laag, dat ik nooit had overwogen om te verhuizen. Zelfs toen ik bijna al mijn tijd doorbracht in het huis van Krista, dat zo veel groter en gerieflijker was, had ik er geen moment aan gedacht de huur van het appartement op te zeggen. Krista had dikwijls aangedrongen dat ik eindelijk maar eens een keuze moest maken. Ze wilde dat ik voorgoed bij haar zou intrekken. Nu was ik blij dat ik altijd voet bij stuk had gehouden. Vaak stond de bovenste verdieping van het appartementsgebouw leeg, zodat ik het hele pand voor mij alleen had. Meestal trokken er marginale types in die al na een paar maanden achterop raakten met het betalen van de huur. Ook nu hing er sinds enkele weken weer een affiche met TE HUUR aan de gevel. Op de overloop opende ik de deur tegenover de slaapkamer. De ruimte had ik vroeger, toen ik nog schilderde, als studio gebruikt. Nu werkte ik er de schetsen wel eens uit die ik als rechtbanktekenaar maakte. Ik zocht naar het houten koffertje met tekengerei dat ik speciaal had samengesteld voor de tekenopdrachten die ik van de politie kreeg. Veel verdiende het niet en het was een baan die met uitsterven werd bedreigd, want bijna alle diensten deden tegenwoordig een beroep op de computer. En toch, zo vond ik, een schets, gemaakt door een ervaren tekenaar, benaderde vaak beter het profiel van een dader, al moest ik toegeven dat het schetsen met een ordinair potlood of pen heel wat meer tijd in beslag nam. Ik was niet verbaasd dat Kuipers me had uitgenodigd. De inspecteur wist kunst wel te waarderen. Krista had me verteld dat Kuipers een niet onaanzienlijke collectie schilderijen van Vlaamse kunstenaars bezat. Nog nooit had ik in opdracht van de inspecteur een profieltekening moeten maken. De dienst waarvoor Kuipers werkte, had voornamelijk te maken met kunstdiefstal en vervalsingen.

Toen ik de bel hoorde, liep ik naar de voordeur. Een agent begroette me toen ik opendeed. In de straat voor mijn deur stond een politieauto dubbel geparkeerd met een agent aan het stuur. Ik volgde de politieman en stapte in. Met een kort hoofdknikje ter begroeting keek zijn vrouwelijke collega even om. Door de drukke ochtendspits reden we naar de politietoren aan de Oudaan. De agenten zetten me af bij de ingang en ik liep het gebouw binnen. Bij de receptie moest ik mijn identiteitskaart afgeven en werd me gevraagd te wachten. Even later wenkte Kuipers me vanuit de geopende lift. Ik begroette de inspecteur en zwijgend gingen we met de lift omhoog. In de gang op weg naar Kuipers' kantoor kwamen we voorbij een automaat. 'Koffie?' vroeg hij.

'Ja, graag.'

'En hoe is het met Krista?' vroeg Kuipers.

Ik aarzelde even. 'Ik woon weer op mezelf,' zei ik.

'Zo,' zei de inspecteur, terwijl hij me het plastic bekertje overhandigde. 'Dat is een verrassing. Een restaurateur en een kunstschilder, mooier kun je als koppel toch niet bij elkaar passen... Krista heeft me er niets over gezegd.'

'Het is ook nog maar net.' Ik had geen zin om er verder over uit te weiden. 'Zullen we maar aan het werk gaan?' vroeg ik.

Kuipers knikte. 'Vanmorgen is er in het Museum Mayer van den Bergh een schilderij gestolen.'

'Je meent het... Dat museum ligt bij wijze van spreken hier om de hoek. Waren het dezelfde dieven als in Brussel?'

'Dat weten we niet, maar de diefstal is wel op bijna identieke manier gebeurd: twee mannen zijn het museum binnengestapt en zijn gewoon met het werk naar buiten gewandeld.'

'Op klaarlichte dag. Je moet het maar durven. En dan ook nog bijna onder jullie neus.'

Kuipers negeerde mijn spottende opmerking. 'Er zijn twee getuigen onderweg. Een van hen moest nog wel even naar het ziekenhuis voor een controle. Ze is van haar stokje gegaan.'

'Was het dan zo'n gewelddadige overval?'

'Nee, nee... hoewel ze het personeel wel met een wapen hebben bedreigd, als ik het goed heb begrepen. En weet je wat merkwaardig is: ze waren niet eens vermomd. Op een pet na dan. De twee getuigen kunnen een profiel geven van de daders.'

Een agent kwam op ons toegelopen en meldde dat een van beiden in een verhoorkamer wachtte. 'De vrouw heeft ook al een getuigenis afgelegd,' zei de politieman. 'Het verslag ligt op uw bureau.'

'Mooi,' zei Kuipers, die de gang inliep.

Ik volgde de inspecteur, het bekertje hete koffie behoedzaam voor me uit dragend. In de verhoorruimte zat een vrouw aan een tafel. Ik begroette haar met een knikje en ging naast haar zitten. Kuipers nam tegenover ons plaats. Hij vroeg de suppoost of ze koffie wilde, maar ze schudde ontkennend haar hoofd.

'Ik moet zo dadelijk mijn zoontje van school halen. Gaat dit lang duren?' vroeg ze.

'Een klein uurtje,' zei ik. Uit het koffertje haalde ik mijn tekenblok en een potlood. Ik keek met een bemoedigende glimlach naar de vrouw naast me, die, zo stelde ik vast, goed in het vlees zat. Ik rook haar niet bepaald frisse lijfgeur. Wellicht was het angstzweet.

'Dat was schrikken, zeker?' vroeg ik.

'Ach, meneer, ik beef nog over mijn hele lijf. Het gebeurde allemaal zo snel...'

'Wat hebben ze precies gestolen?' vroeg Kuipers.

'Een werk van Pieter Bruegel de Oude.'

'Toch niet de *Dulle Griet*?'

'Nee, dat werk is extra beveiligd. Daar kunnen de bezoekers niet bij. Ze hebben een schilderij meegenomen dat in dezelfde zaal hing: *Twaalf spreuken op borden*. Het is misschien niet zo'n bekend werk, maar wel een erg opvallend schilderij.'

'Hoe heet je?' vroeg ik, met de bedoeling haar wat op haar gemak te stellen.

'Reinharda. Maar iedereen noemt me Rein.'

'Laten we maar beginnen... Rein,' zei ik. Uit mijn koffertje haalde ik een set schetsen die ik had getekend van neuzen en ogen in verschillende vormen en formaten, en legde het eerste paar voor de vrouw op het tafelblad om haar op weg te helpen. Haar voortdurend vragen stellend, kreeg de schets vrij vlug vorm. Kuipers keek zwijgend toe. Steeds meer details herinnerde Reinharda zich van de overvaller en ik bleef schaven aan de portrettekening tot ik de vrouw zag knikken.

'Ja, zo zag hij er wel uit.'

Terwijl ik tekende vroeg ik nooit of het portret geleek. Dat moest de getuige op een bepaald moment zelf bevestigen. Ik stelde alleen maar vragen. Ervaring leerde me dat het uiterst belangrijk was om bepaalde details in het geheugen van een getuige niet te verknoeien, want dat was onherstelbaar. Het resultaat van mijn tekenwerk was eerder een hulpmiddel voor intern gebruik om de agenten te helpen de dader op straat te identificeren. Soms werd zo'n tekening ook via de televisie en de kranten verspreid, in de hoop dat het grote publiek iemand zou herkennen. Ik scheurde het vel papier van het tekenblok en legde de schets terzijde. Met een kort glimlachje liet ik de vrouw weten dat ik klaar was voor de volgende. Bij de schets van de tweede verdachte ging het al wat vlotter om het gezicht van de man samen te stellen. Toen Reinharda uiteindelijk knikte dat het portret leek, stond Kuipers op en liep met haar naar de deur.

'De tweede getuige komt er zo aan,' zei hij, terwijl hij weer op zijn stoel ging zitten. Samen bekeken we de twee tekeningen.

'Toch opvallend dat ze zich die koppen zo goed herinnert,' zei de inspecteur.

'Het is vreemd wat de ogen en hersenen van een mens met beelden doen. Heel lang hoef je iets niet gezien te hebben om het je nog te kunnen herinneren. En bij het maken van een robotfoto is het een kwestie van de juiste vragen stellen.'

'Je hebt er wel aanleg voor,' zei Kuipers.

'Dank je,' zei ik en ik keek naar mijn tekeningen. 'Het zijn echte boeventronies.'

'Dat zijn dergelijke schetsen meestal,' zei de inspecteur. Hij verschoof ze een paar keer. 'Slavische types, vind je niet? Zeker deze hier, met die snor en die ruige wenkbrauwen.'

'Hm... ja, je kunt gelijk hebben. Maar is dat niet wat vooringenomen? Ik zou er in ieder geval mijn hand niet voor in het vuur willen steken.'

'Er moet nog een derde persoon hebben meegeholpen,' zei Kuipers, 'want toen ze met het schilderij naar buiten kwamen gelopen, hebben mensen hen naar een auto zien rennen die met draaiende motor stond te wachten. Jammer dat niemand de bestuurder heeft gezien, dan hadden we daar ook een robotfoto van kunnen maken. Volgens enkele getuigen had de wagen een Duitse nummerplaat.'

'Mogelijk zijn de dieven dus al de grens over.'

'We hebben de Duitse collega's uiteraard al ingelicht.'

'Ze kunnen dat schilderij toch nooit verkopen. Daarvoor is het toch te bekend, niet?'

'Dergelijke diefstallen worden vaak in opdracht gepleegd. Maar het is ook mogelijk dat het museum straks het verzoek krijgt een stevige som losgeld te betalen.'

Er werd op de deur geklopt. De inspecteur stond op om de tweede getuige binnen te laten.

'Krista!' riepen Kuipers en ik gelijktijdig toen we de vrouw herkenden die aarzelend de kamer binnenschoof.

'Zo zien we elkaar weer eens, Gerard.' Krista leek niet verrast mij te zien. 'Dag Lucas,' zei ze, terwijl ze naar de tafel liep.

'Ga zitten,' zei Kuipers en hij bood haar een stoel aan. 'Hoe in godsnaam ben jij hierin verzeild geraakt?'

'Ik had een afspraak in het museum om enkele schilderijen na te kijken die mogelijk moeten worden schoongemaakt. Ik bevond me in de zaal met de *Dulle Griet*, toen er twee mannen binnenkwamen. Heel vreemd, maar ik had meteen het gevoel dat er iets niet klopte. Ik zag ook dat Rein het zaakje niet vertrouwde, want ze stond op. Een van de mannen nam me onmiddellijk in een greep en toonde Rein een pistool dat hij tegen mijn hoofd drukte, terwijl de andere man het paneel van de muur haalde. Ze hadden overduidelijk het museum al eerder bezocht om een keuze te maken, want hij liep meteen naar het schilderij toe.'

'Ik hoorde dat je bent flauwgevallen.'

'Ach, ik ben even van de kaart geweest. Toen we de trappen afliepen – de man hield me nog steeds onder schot –, knelde hij zijn arm wat te stevig rond mijn hals, zodat ik bijna geen zuurstof kreeg. En bij de deur duwde hij me dan ook nog eens hardhandig weg om te kunnen ontkomen, zodat ik viel. De directeur wilde me per se naar het ziekenhuis laten brengen, maar dat was niet nodig.'

'Hoe voel je je?' vroeg ik.

'Gaat wel. Wat blauwe plekken en een beetje pijn aan mijn keel. Laten we maar beginnen. Ik moet wel zeggen dat ik maar één van de twee inbrekers goed gezien heb. De andere hield me al die tijd vast, terwijl hij het pistool tegen mijn hoofd gedrukt hield. En het ging ook allemaal razendsnel.'

'Waren er geen andere bewakers?' vroeg ik.

'Jawel, maar die durfden niet in te grijpen.'

'Het alarmsysteem heeft ook gewerkt,' zei Kuipers. 'Onze agenten waren nog geen vijf minuten na de melding ter plaatse.'

'Die mannen zijn alles bij elkaar maar een paar minuten binnen geweest,' zei Krista.

'Wil je iets drinken?' vroeg Kuipers. 'Koffie?'

'Ja, graag,' zei Krista.

Terwijl de inspecteur koffie haalde, werkte ik aan de schets. Ik had wat meer moeite om me te concentreren met Krista naast me. Ze aarzelde ook lang bij enkele details.

'Ik denk dat ik nog te veel onder de indruk ben,' zei ze. 'Misschien moeten we dit later doen?'

'Nee, nee... het is beter om zo snel mogelijk na de misdaad een tekening te maken, als een gezicht nog vers in je geheugen ligt. Hoe langer je er immers over gaat nadenken, hoe meer je begint te betwijfelen of wat je op papier ziet wel klopt. We zijn goed bezig. Kun je nog even doorgaan?'

Krista knikte.

Kuipers had inmiddels een bekertje koffie voor haar neergezet.

Ik bleef nog een tijdje vragen stellen en aan het portret vijlen, terwijl Krista af en toe een slok koffie nam.

'Dat is hem,' zei ze plotseling en ze wees naar de tekening.

'Ik denk dat we klaar zijn,' zei ik en ik verzamelde het tekenmateriaal.

Kuipers bedankte ons en vergezelde ons naar de lift.

'Wil je dat ik je naar huis breng?' vroeg de inspecteur.

'Nee, dat is niet nodig. Ik moet nog terug naar het museum. Een wandeling zal me goed doen.'

'Ik loop wel even met je mee,' zei ik.

'Je hoeft je echt niet verplicht te voelen, Lucas.'

'Ik doe het graag,' zei ik en ik stapte achter haar de lift in.

Zwijgend daalden we af. We vermeden elkaars blik, onwennig door de plotselinge intimiteit. Ik liet Krista als eerste uitstappen en toen we eenmaal de politietoren hadden verlaten, moest ik er flink de pas in zetten om haar bij te houden. Ze leek geïrriteerd en beende in hoog tempo richting Nationalestraat. Toen ik naast haar ging lopen, keek ze vluchtig opzij en zei ze: 'Je zou toch denken dat werken als restaurateur een veilige job is. Een juwelier, een krantenwinkel, een café... dat die worden overvallen kan ik me voorstellen, al is het verwerpelijk natuurlijk, maar een museum?'

'Ik begrijp dat het een onthutsende ervaring was, Krista, maar wees blij dat het goed is afgelopen.'

'Ik maak me zorgen, Lucas. Geweld lijkt vandaag alomtegenwoordig.'

Het incident met Lina's iPhone in Den Haag kwam me even voor de geest. Ik kon me min of meer inbeelden hoe Krista zich moest voelen. 'Je hebt vandaag een traumatische ervaring beleefd, Krista. Logisch dat je bitter reageert.'

'Bitter? Ik reageer helemaal niet bitter,' zei Krista. 'Maar ik heb het gevoel dat mensen niet meer communiceren met elkaar. Noem me een oude zeur, maar in mijn tijd hadden we nog idealen. Nu lijkt iedereen alleen nog maar met zichzelf bezig...'

Het leek plotseling of we weer op de oude vertrouwde manier met elkaar omgingen en ik voelde even een hevige aandrang mijn arm om haar middel te slaan, zoals we zo vaak door de stad waren gewandeld. Maar toen ze bij het Museum voor Schone Kunsten afscheid van me nam, drukte Krista die intimiteit de kop in met een simpel 'Ik zie je nog,' waarna ze naar de entree liep.

Ik staarde haar na, terwijl ze de trappen van het museum besteeg. Pas toen ze door de draaideur verdween, liep ik verder.

12

Weer thuis belde ik Lina. 'Ze hebben op klaarlichte dag een schilderij gestolen in het Museum Mayer van den Bergh,' zei ik, blij dat ik haar het nieuwtje kon vertellen.

'Oud nieuws, Lucas. Dat kregen we een paar minuten na het misdrijf al binnen via Twitter. Sneller kun je het nieuws tegenwoordig niet oppikken, al zit er zelden iets bruikbaars tussen voor een krantenredactie. We hebben het bericht over die diefstal in het museum uiteraard meteen gecheckt bij de politie. Het verhaal staat al lang en breed op de website.'

'Ik heb net de robotfoto's van de daders voor hen gemaakt.'

'Aha!' riep Lina. 'Zo wordt het toch nog een interessant gesprek, Lucas. Ik ga meteen bellen. Heb je trouwens geen zin om vanavond iets te gaan eten? Ik heb nog wat nieuws van die rechercheur uit Nederland. Dan kunnen we bijpraten.'

'Heeft Posthuma jou gebeld?'

'Ja, de man is zijn belofte nagekomen. Ik vertel het vanavond wel, want ik heb hier nog veel werk. Jij mag het restaurant uitkiezen. Ik betaal.'

'Wat zijn we vrijgevig.'

'Tipgevers moeten we goed belonen. Euh... maak het toch maar niet te poshy. Tot vanavond. Ik sta om acht uur voor je deur.'

Twitter, poshy... het werd tijd dat ik een nieuw woordenboek aanschafte. Ik zou bij God niet weten wat voor soort restaurant Lina bedoelde. Ik zou haar meenemen naar La Sezione Aurea, een degelijke Italiaan waar ik al jaren over de vloer kwam.

Even voor acht uur belde Lina op mijn gsm. Ik was nog niet gewend aan het melodietje van mijn nieuwe mobiele telefoon en ik schrok van het geluid. Ik had het volume veel te luid ingesteld.

'Ik rij net de straat in en ik heb geen zin om een parkeerplaats te zoeken,' zei Lina.

'Ik kom eraan.'

Op mijn aanwijzingen reed Lina naar La Sezione Aurea. Op de radio begon het achtuurjournaal en Lina draaide het volume open. We vielen midden in een bericht: '... dat morgen bij het Joegoslavië-tribunaal zou beginnen is met twee weken uitgesteld. De voormalige staatssecretaris van het Servische ministerie van Binnenlandse Zaken voert zelf zijn verdediging en heeft uitstel bedongen, omdat hij meer tijd nodig heeft om het dossier te bestuderen. De 64-jarige Pavković wordt onder meer beschuldigd van volkerenmoord, misdaden tegen de menselijkheid en oorlogsmisdaden.'

'Weer uitstel,' zei Lina.

'Over wie gaat het?'

'Vlastimir Pavković. Een van de belangrijkste Servische leiders tijdens de Kosovaarse oorlog. Het proces is al een keer met tien maanden uitgesteld. Ik wil het graag verslaan voor de krant – ik heb ook het proces van Milošević gedaan –, maar Bert wil me voor deze zaak niet naar Den Haag sturen.'

'Met jouw achtergrond ben jij er natuurlijk de geknipte persoon voor.'

Lina keek me aan. Ze leek kwaad. 'Vertel dat maar tegen

Bert, ja! Volgens hem is er geen budget voor. Ik probeer hem ervan te overtuigen dat een kwaliteitskrant dergelijke processen zelf moet verslaan en niet via berichten van een nieuwsagentschap. Ik hoop maar dat meneer zich bedenkt.'

We liepen het restaurant binnen. Het was er druk voor een doordeweekse avond. Ik kende de uitbaters inmiddels goed en ik begroette Elena, die wat verrast leek me te zien met Lina. De laatste tijd had ik hier vaker gegeten met Krista. Elena leidde ons naar een tafel bij het raam.

'En heb je nog iets kunnen doen met die robotfoto's?' vroeg ik toen we zaten.

'Ja, dank je voor de tip. We hebben de afbeeldingen geplaatst bij het bericht. Ze staan ook in de krant, morgen.'

'Ik zou auteursrechten moeten vragen aan Blok.'

'Moet je vooral proberen bij Bert... Het was nogal een spectaculaire overval, heb ik begrepen. Hoe is het met Krista?'

Ze was wel onder de indruk, maar ze wilde meteen weer aan het werk.

'Een harde tante, hè?'

Dat was de tweede keer in enkele dagen tijd dat ik Lina dat hoorde zeggen. Ze had Krista slechts een paar keren, en dan nog kort, ontmoet. Toch leek ze zich een idee over haar te hebben gevormd. Een mening, zo wist ik, die maar ten dele klopte. Het was een dekmantel, een denkbeeldig harnas dat Krista alleen voor de buitenwereld droeg. Het beeld van een harde tante leek me trouwens eerder toepasbaar op Lina zelf als ik aan haar actie in Den Haag dacht.

Elena bracht de kaart. Zwijgend bestudeerden we de menu's.

'Die pastahalvemaantjes met stokvisvulling zijn erg lekker,' zei ik.

'Hm, ik weet nog niet of ik ook een voorgerecht neem,' zei Lina. 'Ik heb niet zoveel honger.'

'Wat heeft Posthuma je nog meer verteld?'

'Hij heeft bevestigd wat die dokter Staal veronderstelde, namelijk dat de vrouw geen Nederlandse is.'

'En welke nationaliteit heeft ze dan wel?'

'Dat wou hij dan weer niet loslaten. Ik heb aangedrongen uiteraard en het enige wat hij nog zei was: Balkan.'

'Mogelijk een landgenote van je, dus.'

'Ik ben inmiddels Belgische. En de Balkan, Lucas, is een erg groot gebied. Dat zegt niet veel natuurlijk.'

Elena verscheen weer aan onze tafel om de bestelling op te nemen.

'Ik heb nog geen keuze kunnen maken,' zei Lina. 'Hebben jullie ook vegetarische gerechten?'

Met een vergoelijkende glimlach keek ik naar Elena. Ik wist hoezeer ze klanten haatte die geen vis of vlees aten. Die lieten de schoorsteen van het restaurant immers onvoldoende roken.

13

Een kleine week na het avondje uit met Lina stond ik samen met haar en Wim Mathijsen achter het blauwwitte plastic lint dat de politie had gebruikt om een kade vol containers af te zetten. Ze hadden niet op een meter meer of minder gekeken. Het leek wel of ze de oppervlakte van een voetbalveld hadden afgespannen. Een schrale wind blies over het haventerrein en ik kroop wat dieper weg in de kraag van mijn jas. Met Wim had ik twintig minuten geleden nog in een café gezeten toen de fotograaf een telefoontje van Lina kreeg met de melding dat er in de haven een lijk was gevonden. Ik was Wim tegen het lijf gelopen tijdens de opening van de expositie *Corpus Delicti*, een tentoonstelling van Advocaten Zonder Grenzen in het Foto-Museum. Ik kwam er niet vaak, maar het onderwerp van de expositie vond ik in het licht van mijn recente ontdekking zo intrigerend dat ik had besloten de opening bij te wonen, ook al had ik een vreselijke hekel aan het gewriemel en gewauwel tijdens vernissages. Ik was blij verrast toen ik er Wim ontmoette. Gezamenlijk waren we langs de foto's gewandeld en de fotograaf had me heel wat details aangewezen die ik – ook al had ik dan het oog van een tekenaar en schilder – zonder diens deskundige blik ongetwijfeld had gemist. Na de receptie waren we een van de cafés aan de Gedempte Zuiderdokken ingedoken, waar we in een heftige discussie verwikkeld raakten over het manipuleren van beelden en hoe schilders en fotografen daarmee omgingen, toen Lina belde. Na haar telefoontje was Wim opgestaan en had me met een wonderlijke blik aangekeken, terwijl hij zijn jas aantrok: 'Je bezoekt een fototentoonstelling met de titel *Corpus Delicti* en dan moet je als fotograaf zelf naar een... corpus.'

Ik was meteen opgeveerd en ik had mijn overjas aangeschoten, terwijl ik riep: 'De werkelijkheid die de fictie inhaalt. Ik ga met je mee, Wim.'

Met haar Fiatje had Lina ons op de Waalsekaai opgepikt en we waren naar het Delwaidedok gereden. Toen we daar arriveerden, stonden er al een paar fotografen beelden te schieten. Terwijl Wim zijn collega's begroette, keek ik samen met Lina naar de bedrijvigheid in de verte. De zwaailichten van enkele politieauto's, die verspreid stonden op de kade, wierpen hun blauwe licht met een repeterend patroon over de veelkleurige containers. Van een van de metalen bakken, die dicht bij het water stond, waren de deuren geopend en in de nevelige schijn stonden een paar politiemensen overleg te plegen bij het gapende gat. Wat verderop liepen een paar speurders over het terrein. Ze schenen met de lichtbundel van een zaklantaarn voor zich uit en bleven af en toe staan, bukten zich en beschenen de bodem, terwijl ze geconcentreerd om zich heen keken.

'Het lijkt wel een filmscène,' zei ik. Naast me hoorde ik het geluid van een fototoestel dat in een hoog tempo beelden schoot. Wim was naarstig foto's aan het nemen met zijn Nikon.

'Het is een man,' zei hij. 'En hij lijkt vreselijk toegetakeld.'

'Zien,' zei Lina.

Wim hield de camera voor haar neus. Ik keek over haar schouder mee en zag op het lcd-schermpje het lichaam liggen van een man die in een ongemakkelijke houding en met opzij geknakt hoofd tegen een wand van de container steunde. Hij had veel bloed verloren. Zijn jeansbroek was donker gekleurd en leek vooral bij het kruis helemaal doorweekt.

'Kun je inzoomen?' vroeg Lina.

'Het is geen fraai beeld,' zei Wim en hij drukte op een knopje naast het scherm.

'Tss!' siste Lina.

Ik had zo snel niet gezien wat Lina van het camaraschermpje weg deed kijken. Maar zo kon ik de foto beter bestuderen. Het lijk was nu close in beeld. De broek lag op de knieën van de man, zag ik. En daar waar zijn penis en testikels behoorden te zitten zat een grote rafelige wond vol aangekoekt bloed. Ik keek naar het gezicht van de man.

'Wat is dat?' vroeg ik Wim en ik wees naar de mond.

'Wat dénk je dat het is?' vroeg de fotograaf. Hij zoomde nog wat meer in.

De kin van de man zag roodbruin van het geronnen bloed dat uit het stuk vlees was gedropen dat tussen zijn lippen stak.

'Jezus!' zei ik en ik keek vol afkeer weg van het walgelijke beeld. God weet wat de man nog meer in zijn mond hield. Van een afstand waren de gruwelijke details niet te zien.

'Commissaris!' begon Lina plotseling te roepen. Ze zwaaide naar het groepje mensen dat bij de container stond. 'Commissaris!'

Een lange, statige man in uniform keek in onze richting.

'De Geest,' zei Lina. 'Ik ken de commissaris van andere dossiers.'

Traag kwam de politieman op ons toegelopen. 'Zo, Lina,' zei hij. 'Jullie persmensen zijn er snel bij. Ik kan momenteel nog maar weinig informatie geven. We zijn nog volop bezig met het onderzoek van het terrein.'

'Wie is de man?' vroeg ik.

'Daar kan ik geen mededeling over doen.'

'Hebben jullie hem kunnen identificeren?' vroeg Lina.

'Ja, aan de hand van de vingerafdrukken.'

'Hij was dus bij de politie bekend,' zei Lina.

De Geest zweeg.

'Hoe hebben ze hem gevonden?' vroeg Lina.

'Een havenpatrouille merkte een verdachte plas op bij de containerdeur. Toen ze die gingen onderzoeken, dachten ze eerst nog dat het roestwater was. Maar bij nadere inspectie bleek het bloed te zijn dat uit de container was gelekt. Ze hebben de inhoud van de lading opgevraagd bij de reder. Toen bleek dat er bananen uit Colombia in zaten, hebben ze de container geopend.'

'Drugs?' vroeg Lina.

'Nee, daar zijn geen sporen van gevonden.'

'Hoe is de man omgebracht?' vroeg ik.

'Dat onderzoek moeten we nog voeren. Het lijk is erg toegetakeld.'

'Dat mag je wel zeggen,' zei Wim.

'Is er al iets bekend over de mogelijke dader?' vroeg Lina.

'Nee,' zei De Geest en hij maakte aanstalten om naar zijn collega's terug te wandelen.

'Kom op, commissaris,' zei Lina. 'Je moet me meer geven dan dat!'

De commissaris zuchtte. 'We weten niet of het om één of meerdere daders gaat. Wel hebben we de indruk dat de dader of daders weinig tijd hebben gehad om de man te doden. Vermoedelijk is hij onder dwang naar dit terrein gebracht en is hij hier vermoord. Er zijn sporen die erop wijzen dat de dader of daders het lijk mogelijk in de Schelde wilden dumpen, maar dat ze door iets of iemand werden gestoord en daarom het lijk in de container hebben achtergelaten. Maar dat zou ik maar niet schrijven, Lina, want het zijn voorlopig alleen nog maar speculaties.'

'Hoe lang ligt hij hier al?' vroeg ik.

De Geest draaide zich plotseling om en liep weg. Over zijn schouder riep hij nog: 'Voor meer informatie moeten jullie morgenvroeg maar contact opnemen met de persvoorlichter.'

Gedrieën bleven we nog een tijdje naar de verrichtingen rond de container kijken. Toen het lijk door twee mannen werd opgetild, op een brancard werd gelegd en in een begrafeniswagen werd geschoven, maakte Wim nog een reeks foto's. Net toen we naar Lina's Fiat wilden lopen, zag ik een politieauto stoppen.

'Een Nederlandse nummerplaat,' zei Wim. 'Wat zou die hier doen?'

Groot was mijn verbazing toen ik Posthuma en Verlaat zag uitstappen.

Lina stapte meteen op hen toe: 'Wat brengt u naar deze plek, inspecteur? Dit valt toch onder Belgische jurisdictie?'

Posthuma leek al even verrast ons hier aan te treffen. 'Geen commentaar,' zei hij.

Zijn jongere collega hief het blauwwitte lint op om Posthuma er onderdoor te laten stappen.

'Mijn Belgische collega's voeren dit onderzoek,' zei de rechercheur en zonder nog om te kijken liep hij samen met Verlaat in de richting van de container.

14

Voor ze in de Fiat stapte, belde Lina met de redactie. Het gesprek duurde even. Ik zat op de achterbank en zag haar voor de auto heen en weer wandelen onder het licht van een straatlantaarn, de iPhone tegen haar oor gedrukt en af en toe druk gesticulerend met haar linkerhand om haar woorden kracht bij te zetten. Wim bekeek op het scherm van zijn Nikon de beelden die hij had gemaakt. Hij scande er snel doorheen, maar af en toe bleef hij wat langer bij een foto plakken. Ik wilde niet kijken naar de beelden, maar toch dwaalden mijn ogen voortdurend af naar het verlichte beeldschermpje van de camera. Toen ik iemand met de nagel van een vinger op het koetswerk hoorde tikken, keek ik op. Lina probeerde duidelijk een punt te maken.

'Het is toch een fenomeen, niet?' zei Wim.

'Enorm gedreven, dat is het minste wat je kunt zeggen. Wellicht geboren met een extra dosis adrenaline.'

'Ze heeft me verteld van jullie avontuur in Den Haag.'

'Wist jij dat ze militair is geweest?'

Wim keek om. 'Ja, dat heeft ze me wel eens verteld. Al praat ze niet graag over die tijd. Ze heeft haar familie verloren in de oorlog. Wist je dat...'

Wim zweeg abrupt toen Lina het portier opentrok en instapte.

'Bert wil dat we naar de redactie komen,' zei ze. 'Ook jij, Lucas, als je dat niet erg vindt.' Ze startte de auto. 'Ik zal je straks wel bij je appartement afzetten.'

'Lucas kan ook met mij meerijden,' zei Wim. 'Mijn wagen staat wel nog op de parkeerplaats bij de Waalsekaai.'

'Ik rijd er wel even langs,' zei Lina.

'Oké,' zei ik. 'Zolang ik maar een lift krijg, rij ik mee naar Linkeroever.'

Er was mist komen opzetten die laag bij de grond bleef hangen. Erboven gleden als abstracte schilderijen met bizarre kleurpatronen de wanden voorbij van containers die meters- hoog waren opgestapeld.

'Een lugubere plek om te sterven,' zei ik, nog steeds onder de indruk van de beelden die ik had gezien.

'Degene die dit gedaan heeft, moet perverse gedachten heb- ben,' zei Wim.

We reden een tijdje zwijgend over de Antwerpse Ring. De mist werd dikker en Lina begon steeds langzamer te rijden. De Fiat boorde zich door de tunnel van gelig licht die de koplam- pen voor de auto wierpen.

'Het kan geen toeval zijn dat Posthuma hier verscheen,' zei Lina. 'Dat heb ik ook tegen Bert verteld. Hij wil het hele verhaal horen. Daarom had hij er jou ook graag bij, Lucas.'

'Denk jij dat de twee moorden met elkaar te maken heb- ben?'

Lina knikte. 'Bert is altijd sceptisch. Hij vindt het idee te vergezocht. Maar laten we eens opsommen wat we hebben: twee lijken die gruwelijk zijn verminkt, die ook alle twee – niet onbelangrijk volgens mij – in of bij de Schelde zijn gevonden, en dan verschijnt er plotseling een Nederlandse rechercheur op de plaats van het delict. Dat wil toch zeggen dat er een sa- menwerking is tussen de Belgische en Nederlandse politie.'

'Mij lijkt de tweede zaak eerder een afrekening in het drugs-milieu,' zei Wim. 'Het is niet de eerste container waarin ook een andere lekkernij wordt aangetroffen. Laatst hebben ze in de haven van Rotterdam bijna 400 kilo cocaïne gevonden in een container vol rottende bananen. Ze laten die vruchten opzettelijk bederven om de cocaïnegeur te verdoezelen.'

Lekkernij, Wim sprak het woord op zo'n manier uit dat ik het me heel goed kon voorstellen dat de fotograaf wel eens een feestje bezocht waar het er wat ruiger aan toe ging.

Lina nam de laatste afrit voor de Kennedytunnel. 'Hm... Dan moeten we uitzoeken of die eerste vrouw ook iets met een drugszaak te maken heeft,' zei ze.

Nadat we Wim bij zijn wagen hadden afgezet, reden we weer de ring op. Lina volgde Wims Peugeot. In de dichte mist waren zijn achterlichten met moeite te zien. We reden de Kennedytunnel door.

'En wat als dat tweede slachtoffer ook een getuige was in een zaak?' vroeg ik. 'Posthuma vertelde ons in Breskens toch dat de vrouw binnenkort moest getuigen, niet?'

'Goede gedachtegang, Lucas. Ik weet zeker dat Bert jouw stel hersens er dadelijk graag bij zal hebben.'

'Het journalistenwerk laat ik toch liever aan jullie over, Lina.'

We reden het parkeerterrein van De Nieuwskrant op en Lina zocht een plek voor haar Fiatje. We stapten uit en ik volgde Lina naar de entree die helder verlicht was, een uitnodigend baken in de ons omringende mist. Binnen in de hal was het een heen-en-weergeloop van mensen met dozen, computers en schermen. In de brede vensterbank zag ik iemand op een notebook zitten typen.

'Ze zijn sinds enkele dagen de redacties aan het reorgani-seren,' zei Lina. 'Alles moet voortaan aangestuurd worden van-af een centrale desk. Volgens mij is het ook een manier om te kunnen besparen. Zo kunnen ze mensen gemakkelijker ont-slaan omdat ze zogenaamd overbodig zijn in het nieuwe... or-ganigram.' Ze sprak het woord uit met het nodige cynisme.

Ik volgde Lina die in hoog tempo een paar gangen door-wandelde en de ruimte binnenliep waar ze haar werkplek had. Ze gooide met een zucht haar handtas op de bureaustoel. Ik keek naar de chaos op haar bureau: het computerscherm, dat verrees uit stapels mappen, dossiers en papier, was omkranst met post-its. Een kop koffie stond met aangekoekt bodempje op een wankele rij cd-doosjes. Her en der lagen de blinkende schijfjes met haastig in viltstift gekribbelde opschriften tussen het papier verspreid.

'Bert heeft me al minstens tien keer gevraagd om mijn bu-reau ook op te ruimen. Maar ik lijk er maar niet aan toe te ko-men. Ik vrees dat ik dan niets meer terugvind.'

Ik grinnikte. '*De chaosmachine* zou een mooie titel zijn voor dit kunstwerk.'

Lina keek me vragend aan. 'Mis ik iets?'

'Ach, een wat onnozel kunstgrapje. Maar daar hou je toch niet van, van kunst.'

'Dat ik er niets vanaf weet,' zei Lina en ik hoorde een vreemd soort wrevel in haar stem, '... betekent nog niet dat ik niet van een kunstwerk kan genieten.'

Blok had ons opgemerkt. Ik zag hem door de grote glas-partij, die zijn bureau van de werkvloer scheidde, uit zijn stoel overeind komen. Hij liep naar de deur en wenkte ons vanaf de drempel.

Lina wandelde eerst nog naar een waterdispenser, greep een bekertje uit de stapel die als een stompe hoorn uit het ap-paraat stak, schoof het op zijn plaats en liet het vollopen. 'Jij?' vroeg ze.

Ik schudde mijn hoofd. Achter haar aan liep ik het kantoor van de hoofdredacteur binnen.

Lina zette het bekertje water op Bloks bureau. Onberispelijk was het, zag ik, zoals altijd wanneer ik de hoofdredacteur had gesproken. Er stond enkel een MacBook op te blinken, waarnaast twee gsm-toestellen lagen. En op de hoek stond nog een fotolijstje. Voor de rest was het beangstigend leeg. Was Bert Blok zo efficiënt dat er nooit eens een document op zijn bureaublad lag, vroeg ik me af, terwijl ik Lina's voorbeeld volgde en ging zitten.

'Elke keer als ik die werkplek van jou bekijk, Bert,' zei Lina, 'krijg ik hoofdpijn. Zo... netjes...' Ze spuwde het laatste woord uit.

Blok negeerde haar opmerking. 'Jij schrijft dadelijk toch nog een artikel over dat lijk, neem ik aan.'

Het was geen verzoek, eerder een bevel.

'Doe ik, chef,' zei Lina en ze keek met een gemaakte glimlach om haar lippen naar mij. 'Dacht ik eens een avond vroeg thuis te zijn...'

'Wat probeerde je me daarstraks aan de telefoon eigenlijk duidelijk te maken? Het was hier een heksenketel met al die verhuizende mensen. Ik heb maar de helft begrepen van wat je vertelde.'

'Wat zou jij denken, Bert, als je op een kade in de Antwerpse haven de Nederlandse politie ziet verschijnen bij een onderzoek naar een lijk in een container?'

'Euh... geen idee. Een drugszaak misschien?'

'Dat dacht Wim ook,' zei ik. 'Maar wat zou je denken als die Nederlandse inspecteur dezelfde is die ook het onderzoek voert naar het lijk dat bij Breskens is gevonden?'

'Dat het om dezelfde dader zou kunnen gaan?'

'Dat vermoed ik ook,' zei ik.

'Lucas denkt dat de containerman mogelijk ook een getuige is in een politiedossier,' zei Lina.

'Heeft de commissaris dat bevestigd?'

'Nee, over de identiteit wilde hij niets lossen. Maar de vrouw in Breskens zou volgens de Nederlandse rechercheur binnenkort moeten getuigen.'

'Het zou een mogelijkheid kunnen zijn,' zei ik.

'Hm...' Blok stond op en begon door zijn kantoor te ijsberen. 'Lina, je belt die commissaris op en legt het hem gewoon voor. Vraag hem waarom de Nederlandse politie bij het onderzoek werd uitgenodigd. Benieuwd hoe hij reageert. En je kunt beter ook weer even die Nederlandse rechercheur bellen. We hebben dat verhaal van het litteken uit de krant gehouden op zíjn verzoek. Vertel hem dat *De Nieuwskrant* dat nu toch zal brengen en dat we zullen berichten dat beide zaken mogelijk verwant zijn... Misschien kunnen we op die manier achterhalen om welk dossier het gaat en hebben we een primeur.'

'Oké, het is het proberen waard,' zei Lina.

'Over een uur vergaderen we opnieuw hier in mijn bureau.'

We verlieten Bloks kantoor en liepen naar Lina's werkplek.

'Ik bel wel met Posthuma,' zei ik. 'Doe jij maar de commissaris.'

'Jij wordt hier niet eens voor betaald, Lucas. Je hoeft dit niet te doen, hoor. Je kunt net zo goed naar huis gaan. Wim brengt je wel.'

'Nee, ik heb dat eerste slachtoffer gevonden. Het laat me niet los... Trouwens, Posthuma heeft me zijn gsm-nummer gegeven tijdens het verhoor in Breskens. Ik kan hem zo bellen...'

'Doe maar. Ik bel ondertussen commissaris De Geest.'

'Ik loop even naar buiten. Het lijkt hier wel een gekkenhuis.'

Ik verliet de redactie. Buiten was de mist nu zo fel dat ik het gebouw nog met moeite zag toen ik er een paar meter bij vandaan liep. Ik zocht in mijn portefeuille naar het kaartje dat

Posthuma me had gegeven en toetste op mijn nieuwe gsm het nummer in van de Nederlandse rechercheur.

'Met Jelmer Posthuma.'

'Goedenavond, inspecteur, met Lucas Grimmer.'

Ik hoorde Posthuma zuchten. 'Luister eens, meneer Grimmer, ik hoef helemaal niet met u te praten. Weet u wel hoe laat het is?'

'Om eerlijk te zijn, nee.' Ik keek op het schermpje van mijn gsm. Het was na middernacht. Ik dacht even na. 'U hebt de pech dat ik dat eerste lijk heb gevonden. Ik kan me voorstellen dat u liever had gehad dat een toevallige passant het lichaam had opgemerkt en niet iemand die voor een krant werkt.'

'Ik heb niets tegen journalisten, zolang ze hun beroep uit-oefenen volgens de juiste deontologie.'

'Ik ben geen journalist, inspecteur, dat heb ik u al verteld. Maar de hoofdredacteur van *De Nieuwskrant* stelt me moeilijke vragen en die wil ik u graag voorleggen.'

'Het was aangenaam praten met u, meneer Grimmer.'

Snel zei ik: 'De krant gaat een artikel plaatsen waarin ook het litteken aan bod zal komen.'

Heel even leek het of Posthuma de verbinding zou verbre-ken, maar ik hoorde de rechercheur ademhalen aan de andere kant van de lijn. 'De hoofdredacteur is van mening dat onze afspraak niet langer geldt,' zei ik nog.

Het bleef stil.

'En waarom vindt hij dat?' vroeg Posthuma uiteindelijk.

Ik hoorde de irritatie in de stem van de rechercheur. 'Door het lijk dat ze vandaag hebben gevonden. U was daar toch niet geheel toevallig?'

'Toeval...' Ik hoorde Posthuma snuiven. 'Ik wil u nog eens duidelijk maken, meneer Grimmer, dat in dit dossier nieuwe slachtoffers kunnen vallen als uw krant over het litteken schrijft. Wat is dat toch met de pers tegenwoordig!' Ik schrok van de uithaal in Posthuma's stem. De inspecteur brieste: 'Suggestieve artikelen met smeuïge details publiceren zonder de feiten te checken. En nu gaan ze ook al de politie chanteren...!'

'Weet u, inspecteur, u gelooft het wellicht niet, maar ik ben het met uw analyse eens: de pers begint te slabakken. Als u mij iets nuttigs in deze zaken kunt geven, kan ik wellicht de berichtgeving nog enigszins sturen...'

Posthuma zweeg lange tijd. 'Goed,' zei hij plotseling. 'Dit is een dossier op internationaal niveau. Ik heb het niet over een Nederlands-Belgisch onderonsje. Wat speelt, is veel groter. Jullie moeten dit zeer behoedzaam aanpakken. Als die krant van jou zich zo onverantwoordelijk wil gedragen, dan bel ik wel even met mijn Belgische collega. Commissaris De Geest zal dan ongetwijfeld contact opnemen met jouw hoofdredacteur. En geloof me, dat wordt geen aangenaam gesprek.'

Voordat ik nog kon reageren, had Posthuma al opgehangen. Ik liep het gebouw weer binnen, de hal door en de gang in naar de ruimte waar Lina haar bureau had. Ze zat achter haar computer als een razende te typen.

'Hoe was jouw gesprek met de commissaris?' vroeg ik.

Lina tikte nog even door en keek toen verstrooid op. 'Tja, kort... het enige wat hij wil bevestigen is dat het inderdaad om een getuige gaat in een rechtszaak.' Haar vingers vlogen weer over het toetsenbord. 'En wat zei die Nederlander?' vroeg ze, zonder ook maar even op te houden met typen.

'Hij leek behoorlijk woedend door mijn telefoontje. Maar... ik geloof dat hij zich heeft versproken. Hij zei dat het om een *internationaal* dossier gaat.'

Lina keek op, haar vingers werkeloos boven het toetsenbord.

'Internationaal?'

'Ja, en hij lijkt het idee dat *De Nieuwskrant* iets over dat litteken publiceert nog steeds niet erg toe te juichen. Integendeel.'

'We gaan naar Bert,' zei Lina.

Bert Blok hield een gsm aan beide oren. Hij gebaarde dat we moesten gaan zitten.

'Nee,' hoorde ik de hoofdredacteur zeggen. 'Ik kan en wil u dat op dit ogenblik niet bevestigen. U hoort nog van me.' Hij legde een van de mobiele telefoons op het bureaublad en hield het andere toestel even verontschuldigend naar ons op om duidelijk te maken dat hij ook dat gesprek nog moest voeren. Hij sprak zachter nu. 'Ik heb geen idee, schat. Het is een heksenketel hier. Het gaat in ieder geval laat worden.'

Ik hoorde Blok even aarzelen. 'Ik ook van jou,' hoorde ik de hoofdredacteur zeggen. Blok hing op en keek ons aan. 'En?'

'Het gaat wel degelijk om twee getuigen. Beide zaken zijn in ieder geval verwant,' zei Lina.

'De Nederlanders zijn als de dood dat de krant iets over dat litteken publiceert,' zei ik.

'Ik had de commissaris net aan de lijn,' zei Blok. 'Hij gaf me dezelfde boodschap. En hij vertelde me ook dat het lijk in de haven een getuige was die zou optreden in een belangrijk dossier. En dat het niet om een Belgische zaak gaat.'

'Een dubbele moord,' zei ik. 'Iemand doet wel heel veel moeite om mensen niet te laten praten...'

'Waarom is dat litteken zo belangrijk?' vroeg Blok.

'Ik denk dat we iets over het hoofd zien,' zei Lina. 'Wat zei die bezopen politiearts ook weer, Lucas? Dat die niertransplantatie zeker niet in een ziekenhuis hier is uitgevoerd. En dat het een wonder was dat ze die ingreep heeft overleefd, toch?'

Ik knikte.

'Ja, en?' vroeg Blok.

'Een spoedoperatie waarbij een van de slachtoffers bijna

het leven heeft gelaten... Dat zou toch om een oorlogswond kunnen gaan, niet?

'Mogelijk,' zei ik. 'Volgens de dokter was de ingreep van jaren geleden. Het verklaart in ieder geval de haast waarmee de wond toen gehecht is.'

'Als ik al die elementen op een rij zet,' zei Lina, '... internationaal dossier, de vrouw die afkomstig is van de Balkan, twee personen die moeten getuigen in een rechtszaak, de Nederlandse politie die plotseling opduikt in een Belgisch onderzoek... Het feit ook dat andere mensen in gevaar komen als de identiteit van een van de slachtoffers uitlekt door een litteken van een spoedoperatie... Zou het dan niet mogelijk zijn dat het om beschermde getuigen gaat van het Joegoslavië-tribunaal?'

Het was even stil in het kantoor van de hoofdredacteur.

Ik keek naar Lina die een gloed in haar ogen had. Hoe meer ik over haar analyse nadacht, hoe plausibeler ik die vond. 'Vergeet ook niet dat ze in Breskens hebben ingebroken om mijn laptop met de foto's te stelen,' zei ik. 'De dader of daders was er dus alles aan gelegen om de identificatie te bemoeilijken.'

'Het is een mogelijkheid,' zei Bert Blok.

'Een reden te meer om me volgende week naar het proces van Pavković te sturen, Bert,' zei Lina. 'Als beide slachtoffers moesten getuigen voor het tribunaal, dan moet het toch uit te vogelen zijn in welke zaak ze dienden aan te treden, denk je niet? Stel je eens voor dat het getuigen waren in het proces dat nu voorkomt. Misschien zijn er nog meer getuigen. Als we een van hen kunnen vinden, dan hebben we pas echt een verhaal!'

Blok zuchtte. 'Het is wel een gok. We hebben immers niets substantieels in handen.'

'Maar stel dat ik het bij het rechte eind heb, dan zou hier wel eens een groot verhaal in kunnen zitten.'

'Lina, ik weet dat je met alle geweld dat proces wilt bijwonen... Ik zou nog bijna geloven dat je iets persoonlijks met die Serviër hebt.'

'Kom, Bert, dat is een belachelijke opmerking en dat weet je. Een krant die zich ook maar een beetje respecteert moet zoiets toch zelf verslaan. Ik wil trouwens dat Lucas meegaat. Hij kent deze zaak net zo goed als ik en hij heeft een perskaart. Dan mag hij ook het gerechtsgebouw binnen.'

'Ik ben je man,' zei ik.

'Daar is zeker geen budget voor,' zei Blok en hij keek naar mij.

'Dan ga ik toch op mijn eigen kosten. Wat had je gedacht, Bert: dat ik Lina dit even in haar eentje laat oplossen?'

15

Een halfuur voor ik met Lina naar Den Haag zou vertrekken, kreeg ik een telefoontje van haar.

'En? Gaat het feest niet door?' vroeg ik. 'Heeft Blok dan toch maar beslist dat het niet in het budget past?'

'Pak maar een tandenborstel in, Lucas,' zei Lina en ik hoorde het enthousiasme in haar stem. 'Ik heb Bert kunnen overtuigen dat alleen de opening van het proces verslaan weinig zin heeft. Het heeft wat overredingskracht gekost, maar ik heb van hem zelfs enkele dagen Den Haag losgepeuterd. Hij lijkt er steeds meer van overtuigd dat we het wel eens bij het rechte eind kunnen hebben.'

'Wel, wel! De hoofdredacteur strooit met geld, zo te horen. Is hij zijn baan beu?'

Lina grinnikte. 'Bert? Die sterft nog eerder in zijn stoel op de redactie, dan dat hij de handdoek in de ring gooit... Voorwaarde is dat ik goede stukken inlever. We zullen daar dus wel keihard moeten werken. Ik zie je zo.'

'Oké, ik ga maar eens pakken.'

Ik zocht in de badkamer naar mijn toilettas en gooide die samen met een hemd, enkele onderbroeken en sokken in een kleine schoudertas. Ik twijfelde even, maar nam uiteindelijk ook een pyjama mee.

Lina's Fiat reed stipt om zeven uur mijn straat in. Ik had postgevat bij het raam en toen ik haar om zich heen zag spieden naar een plek om te parkeren, trok ik de deur open en gebaarde dat ik eraan kwam. Het regende en met mijn tas boven mijn hoofd spurtte ik naar de auto. Ik stapte in en gaf Lina een zoen. Ze rook lekker.

Lina stuurde de Cinquecento in de richting van de Antwerpse Ring. Even later reden we de snelweg op en volgden we de A1 richting Breda. Het was nog vroeg, maar toch was het al druk. Aan de overkant richting Antwerpen vorderde het verkeer slechts stapvoets in de dagelijkse ochtendfile. Richting Nederland verliep het verkeer soepeler. Af en toe werden we getrakteerd op een gordijn van water als we een vrachtwagen inhaalden.

'Ik kreeg gisteren nog een telefoontje van Posthuma,' zei Lina. 'Hij vertelde me dat het toxicologisch onderzoek geen extra resultaten heeft opgeleverd, behalve dat nu vaststaat wanneer de vrouw is gestorven.'

'Vermoord, Lina. De vrouw is vermoord... En wanneer is ze omgebracht?'

'Precies een week voordat jij haar vond.'

Ik zag weer even het lijk op het strand liggen; het stukgeslagen gezicht. Ik keek naar het landschap en probeerde er niet aan te denken.

We reden een tijdje zwijgend over de snelweg. Het was gestopt met regenen.

'Eigenlijk weet ik niet zoveel over dat tribunaal in Den Haag,' zei ik. 'Wel dat het oorlogsmisdaden uit de landen van het voormalig Joegoslavië onderzoekt en processen voert. Ik weet dat Milošević er is berecht. Jij hebt dat proces toch gevolgd, niet?'

'Ja, hij is er trouwens gestorven in zijn cel. Eigenlijk is hij nooit veroordeeld.'

'Ik zou niet weten wie er verder nog allemaal terechtstaan, laat staan welke nationaliteit ze precies hebben. Servië, Kroatië, Bosnië... dat zijn de landen die ik ken van ex-Joegoslavië.'

'Het is Bosnië én Herzegovina; dat vormt nu één republiek. Verder heb je nog Slovenië, Macedonië en Montenegro. En uiteraard de republiek Kosovo.'

'Is dat een onafhankelijk land dan?'

Lina knikte. 'Maar niet voor Servië, dat beschouwt het nog als een provincie. Een deel van de internationale gemeenschap, waaronder België en Nederland en ook de Verenigde Staten, heeft de republiek Kosovo wel erkend. Maar de Russen liggen dwars. En ook landen die zelf kampen met opstandige regio's, zoals Spanje met de Basken.'

'Het is me een kluwen.'

'Ja, als je het niet volgt, maar voor veel buitenlanders is de situatie in België tussen de Vlamingen en de Walen even onbegrijpelijk, hoor.'

'Waarom wil Servië de republiek Kosovo niet erkennen?'

'Het is heilige grond voor de Serviërs. Ze vochten er in 1389 de Slag op het Merelveld uit tegen de Turkse Ottomanen. Ze verloren die strijd wel, maar voor hen is het ondenkbaar dat ze het gebied moeten afstaan. 28 juni is nog altijd hun nationale rouwdag, de *Vidovdan*.'

'Ik heb dat soort nationalisme nooit goed begrepen. Het doet me denken aan de Guldensporenslag, ook zo'n veldslag – toevallig uit dezelfde eeuw – waar dan weer de Vlaamse trots uit is ontsproten. Al heeft die nooit tot een burgeroorlog geleid. Wij slaan hier gelukkig elkaars kop nog niet in.'

'Het scheelt soms toch niet veel.' Lina keek even opzij. 'Zo is het in Joegoslavië ook gegaan: wat op het eerste gezicht een louter politiek en staatkundig probleem leek dat maar niet opgelost raakte, sloeg bij de bevolking op een bepaald moment om in een emotionele kwestie. En de kop inslaan... Lucas, er zijn daar in die regio afschuwelijke zaken gebeurd. Regelrechte zwijnerij... niet met woorden te beschrijven.'

Ik keek haar aan.

Ze had een verbeten trek op haar gezicht.

'Jouw familie...' begon ik.

Maar Lina kapte me meteen af. 'Ik wil daar niet over praten.'

Zwijgend zaten we naast elkaar. Er hing een spanning in de auto waar ik ongemakkelijk van werd.

Lina leek het ook te voelen, want ze zei op zachte toon: 'Niet nu, tenminste.'

'Oké,' zei ik. 'Waarom wil je eigenlijk het proces volgen, als het zo moeilijk voor je is?'

'Ik wil begrijpen hoe op het eerste gezicht doodnormale, ja, vaak zeer intelligente mensen, van het ene moment op het andere zó kunnen veranderen dat ze zich gedragen als beesten...'

'Je zei het zelf al eerder: beschaving is enkel een dun laagje.'

Lina keek opzij. 'Neem nu die twee slachtoffers, die zo vreselijk waren toegetakeld. Jij hebt ze ook gezien. Zou jij in staat zijn zoiets te doen?'

'Uiteraard niet.'

'Jij zegt nu wel spontaan nee, maar onder andere omstandigheden, op een andere plaats, in een andere tijd?'

'Dat is een hypothetische vraag waar ik niet op kan antwoorden.'

'Je klinkt als een politicus, Lucas. Ik geloof dat er een monster in ieder mens schuilt.'

'Echt Lina! Zo'n pessimistisch mensbeeld had ik niet verwacht van een jonge vrouw in de bloei van haar leven.'

Lina leek op te schrikken van mijn reactie. 'Ach, wellicht is het omdat we op weg zijn naar het Joegoslavië-tribunaal. Ik heb daar al getuigenissen gehoord die een mens geen goed doen... Mijn God, wat zijn we toch serieus vanmorgen!' Ze duwde plotseling met haar wijsvinger op een knopje in het midden van de console en de radio sprong aan. 'Een beetje muziek, maestro?'

'Waarom niet, altijd goed tegen muizenissen,' zei ik, blij dat de stemming omsloeg. 'Zolang het maar niet van die house is.'

'Ik zal een rustige zender voor je zoeken, opa.'

Ik grinnikte. Op de een of andere manier wist Lina me met haar gejen altijd te charmeren. Er zat geen venijn in haar getreiter; het was, daar was ik van overtuigd, integendeel eerder liefdevol bedoeld. Zij had tenminste nog het echte vuur, iets wat ik ooit als kunstenaar ook tot in het diepste van mijn botten had gevoeld. Een goede schilder had ik willen worden, en daar had ik alles voor over gehad. Maar uiteindelijk was die zoektocht op een fiasco uitgedraaid. Ik schilderde niet meer. In wezen deed ik niets meer met mijn talent. Met mijn leven tout court. De tekeningen die ik nog maakte in opdracht van politie en gerecht waren louter functioneel. Ik was blij dat ik Lina had ontmoet. Zij nam me op sleeptouw en het voelde aan alsof het oude vuur oplaaide. Lina had tenminste een missie. Die urgentie had ik als kunstenaar nooit ervaren. Er waren collega's die hun werk een politieke inslag probeerden te geven. Ze maakten schilderijen die reflecteerden over de vuurhaarden in de wereld. In interviews klaagden ze misstanden aan alsof ze ervan overtuigd waren dat hun kunst de wereld kon redden. Maar staande achter hun doeken leefden ze een volstrekt veilig bestaan. Hoe eenvoudig was het om in de beschutting van een schildersezel alle ellende van de wereld te willen torsen?

Terwijl we richting Den Haag reden, besefte ik dat ik daar

eigenlijk niets te zoeken had. Ik wist weinig of niets over de processen die er werden gevoerd, in tegenstelling tot Lina voor wie het tribunaal wellicht een directe link naar haar verleden betekende. Ik vroeg me af wat er precies met haar familie was gebeurd. Telkens als die ter sprake kwam, was ze dichtgeklapt. En toch had ik de indruk dat ze de behoefte voelde er met iemand over te praten. Had ze het er met Wim over gehad? Hij leek in ieder geval op de hoogte van haar verleden als soldaat. Ik nam me voor hem er bij een volgende gelegenheid naar te vragen.

Het Joegoslavië-tribunaal lag in een wijk met veel statige gebouwen. Toen Lina de wagen had geparkeerd, wandelden we ernaartoe. Het pand zag er eerder uit als een bankkantoor dan als een gerechtsgebouw, vond ik. Twee donjonachtige uitbouwsels geflankeerd door slanke uitkijktorens domineerden het dak. Voor de ingang lag een grasveld met een grote waterpartij die me deed denken aan een half leeggelopen verdedigingsgracht. De wind blies een rimpeling over het wateroppervlak. Er rezen enkele imposante metalen sculpturen uit omhoog, abstracte beelden die wat van het frêle werk van Alexander Calder hadden.

'Een mooi gebouw,' zei ik. 'Maar die pseudokunstwerken voor de ingang mogen ze wat mij betreft gelijk weer afbreken.'

'Gedraag je maar, Lucas, want we verlaten nu het Nederlandse grondgebied,' zei Lina.

'Hoe bedoel je?'

'De VN huurt het pand van de Nederlandse overheid. Zowel het gebouw als de omgeving zijn VN-grondgebied. De Nederlanders hebben hier niets te vertellen.'

'Mogen we er dan zomaar binnenlopen?'

'Iedereen mag hier zomaar binnen. De zittingen van het tribunaal zijn openbaar. Er is natuurlijk wel een strenge veiligheidscontrole.'

Lina leidde de weg. Het was duidelijk dat ze hier vaker over de vloer was geweest. Bij de entree moesten we in een rij aanschuiven. De eerste dag van het proces kon blijkbaar rekenen op forse belangstelling van de binnen- en buitenlandse pers. Buiten had ik ook al enkele reportagewagens van verschillende tv-zenders zien staan. Op vertoon van onze perskaart kregen we onze accreditatie.

'Met deze *Media Day Pass* kunnen we de persruimte in en ook naar de publieke tribunes,' zei Lina.

Ze ging me voor naar de entree tot de rechtszaal. Ook hier dienden we even aan te schuiven. Veiligheidsagenten controleerden de mensen die naar de publiekstribune wilden. Een agente hield me staande en tikte op mijn schoudertas. Ik ritste hem open.

'Wat is dit?' vroeg de agente, die een metalen doosje ophield.

Ik zag Lina op me staan wachten met een vragende blik op haar gezicht. 'Het is waterverf,' zei ik.

De agente leek er geen vertrouwen in te hebben. Ze opende het doosje en controleerde vluchtig de inhoud. Er zaten een achttal kleurige blokjes in het aquarelsetje van WINSOR & NEWTON, dat ik weleens gebruikte als ik in een rechtszaal schetsen maakte. De agente sloot het doosje en overhandigde het me.

'Loopt u maar door, meneer.'

Anders dan bij de gerechtshoven waar ik als tekenaar vaak vertoefde, ruimten die meestal erg barok waren aangekleed met veel houten lambrisering, had de zaal van het Joegoslaviëtribunaal een moderne, strakke inrichting. De bank waar de rechters zetelden bevond zich achter in de ruimte, die baadde in kunstlicht, doordat voor de hoge ramen de gordijnen grotendeels waren gesloten. Achter de zetels van de rechters hing een blauw gordijn in een golvend patroon dat de scène iets van een theaterbühne gaf. Links van de rechters bevonden zich twee lange bureaus voor de aanklager en zijn gevolg en rechts van hen even lange bureaus voor de beklaagde en zijn advocaten. Centraal voor de rechtbank stond een kleinere tafel voor de getuigen. De publieke tribune, die bestond uit rijen en rijen stoelen, was van de rechtszaal gescheiden door een glaspartij. Ik bestudeerde het dikke glas. Wellicht was het aangebracht om te verhinderen dat iemand uit het publiek gekke dingen zou doen tijdens de verhoren. En vermoedelijk ook om te vermijden dat de toehoorders de getuigenissen rechtstreeks konden beluisteren. Het zou me niet verbazen dat wat er werd gezegd in de rechtszaal nog gefilterd kon worden voordat de woorden uit de luidsprekers kwamen, als dat nodig was. Samen met Lina zocht ik een plek. Voor de eerste dag van het proces tegen Vlastimir Pavković zat de tribune helemaal vol. Het was wachten op de beklaagde.

'Wie is die Pavković eigenlijk?' vroeg ik.

'Het is misschien een minder bekende figuur in al die processen. Ik kende hem uiteraard wel van naam, maar ik heb nog wat huiswerk gedaan,' zei Lina en ze tikte met een vinger op de bundel papier die ze op haar schoot hield en waarin ze had zitten lezen. 'De man was assistent-minister bij het Servische ministerie van Binnenlandse Zaken, wat wij een staatssecretaris noemen. Pavković was verantwoordelijk voor publieke veiligheid en daardoor dus ook voor de milities van de veiligheidsdienst in Servië en Kosovo. Die hebben er met zijn medeweten voor gezorgd dat achthonderdduizend Kosovaren van Albanese afkomst gedwongen werden gedeporteerd. Dat speelde zich af in de periode januari-juni 1999. Het doel was alle Albanese Kosovaren voorgoed uit het Servische Kosovo te verdrijven. Een echte etnische zuivering dus. Ze gebruikten daarbij ongeziene terreur: bedreigingen, mishandelingen, tot en met verkrachtingen en publieke executies.'

Lina zweeg en staarde voor zich uit, naar de rechtszaal, waar iemand bezig was met het controleren van een microfoon.

'Honderden burgers werden vermoord, Lucas, wellicht met Pavković' medeweten. Ze hebben hem pas in de loop van 2007 kunnen arresteren, terwijl hij door het tribunaal al in beschuldiging was gesteld in 2003. Hij riskeert meerdere tientallen jaren cel tot zelfs levenslang.'

'Niet meteen een kleine garnaal dus?'

'Dan kan je wel stellen, ja... Goed dat ze hem uiteindelijk hebben gearresteerd. Het zijn vaak de mensen die achter de schermen aan de touwtjes trekken die de dans ontspringen. Er zijn nog altijd enkele belangrijke gezagvoerders uit die oorlogsperiode, die nog steeds niet zijn opgepakt omdat ze zijn ondergedoken. Weet je, voor veel mensen lijkt het dwaas om te pogen deze mensen te berechten, maar ik vind het onze morele plicht om die misdadigers, want dat zijn ze, alsnog voor een rechtbank te slepen. Het lijkt na al die jaren een enorme geldverspilling, maar de illusie dat iemand niet ongestraft wegkomt met zijn misdaden...' Lina keek me aan. 'Is dat niet wat ons tot mensen maakt, Lucas? Bovendien is het voeren van een proces belangrijk voor de nabestaanden.'

'Een soort van gerechtvaardigde wraak dus? Je krijgt er toch niemand mee terug?'

'Nee, dat is zo,' zei Lina en ze keek van me weg. Ze frunnikte wat met de papieren op haar schoot. 'Als je zelf slachtoffer bent geweest van de beslissingen van deze meneer Pavković of, zoals ik, iedereen die je dierbaar is door zijn toedoen hebt verloren, dan heb je de vurige wens dat hij ook eens een paar nachten schreeuwend wakker wordt in zijn slaap, ook al heeft hij dan misschien nooit zelf de trekker overgehaald.'

Ik keek naar de ruimte waar het proces binnen enkele ogenblikken van start zou gaan en waar de aanklager met zijn gevolg al had plaatsgenomen. Het leek wat onwezenlijk dat in deze strak ingerichte en zacht verlichte zaal al enkele jaren vonnissen werden geveld over mannen en vrouwen die door hun fanatieke denkbeelden oorlogen hadden ontketend en afgrijselijke misdaden hadden begaan in naam van begrippen als 'vaderland' en 'geloof'.

'De meeste mensen liggen niet wakker van de processen die hier worden gevoerd, Lucas,' zei Lina.

'Ik moet toegeven dat ik de berichtgeving over het tribunaal ook nauwelijks volg. En ik kan me voorstellen dat het voor jou en mensen die hun naasten hebben verloren wel uitermate belangrijk is.'

'Kun je dat werkelijk?'

Ik zweeg. Lina had gelijk natuurlijk. Ik kon me zoiets onmogelijk voorstellen. Ook al ging dit over een oorlog die in een mum van tijd om zich heen had gegrepen op nog geen duizend kilometer hiervandaan – ongeveer dezelfde afstand die elke zomer massa's mensen fluitend naar hun vakantiebestemming in het zuiden reden –, toch waren de processen voor het merendeel van de westerlingen een ver-van-mijn-bedshow. Terwijl er toch duizenden en duizenden mensen waren gesneuveld op een steenworp van dit tribunaal, als je het op een plastic wereldbol bekeek. Het maakte pijnlijk duidelijk wat Lina me voor de voeten had geworpen: beschaving is niet meer dan een dun velletje vernis. Pelde je dat weg, dan kreeg je pas de ware aard van het beestje te zien: *homo homini lupus*; ik herinnerde me de Latijnse spreuk uit mijn studiejaren, de mens is als een wolf voor de ander. Het ging blijkbaar maar door, eeuw na eeuw, terwijl je toch zou verwachten dat de mens lessen zou trekken uit zijn in grotendeels met bloed geschreven geschiedenis. Ik vroeg me af hoe ik onder oorlogsomstandigheden zou reageren. Zou ik in dienst gaan, zoals Lina? Zou ik willen vechten? Het was gemakkelijk te beweren een pacifist te zijn als je nooit een geweer van dichtbij te zien kreeg. Het was ongetwijfeld iets heel anders als iemand de loop van een pistool of een mitrailleur onder je neus duwde. Of als je dierbaren werden gedood. Ik wist niet of ik wel de maag had om te luisteren naar de gruwelijke getuigenissen die hier de komende dagen zouden worden afgelegd. En ik begreep al evenmin hoe Lina met haar verleden, waar ik steeds nieuwsgieriger naar werd, dit soort processen kon bijwonen.

Er ging plotseling een rumoerig gefluister door het publiek en ik zag een lange man de zaal binnenschrijden. Met statige pas, als was hij een koning, wandelde hij naar de beklaagdenbank, gevolgd door een bewaker. Een ranke figuur was het, met een opvallende blonde haardos. Hij had iets van een universiteitsprofessor of een dokter, vond ik en ik was meteen geïntrigeerd door de serene blik waarmee de man de mensen op de publiekstribune peilde. Was het inbeelding of ging er daadwerkelijk een siddering door de zaal onder die starende blik? Ik meende ook Lina te zien huiveren. Er viel een doodse stilte om me heen. De beklaagde draaide zijn lichaam in een hautaine houding naar de bank met rechters. Heel zijn voorkomen liet doorschemeren dat het Vlastimir Pavković totaal niet kon schelen dat hij voor dit internationale tribunaal terechtstond. De hoofdrechter begon te spreken, tenminste ik zag zijn lippen bewegen, want door de glazen wand was hij onverstaanbaar. Naast me zag ik Lina, zoals de meeste mensen om me heen trouwens, een hoofdtelefoon opzetten. Zelf liet ik de koptelefoon onaangeroerd – ik wilde de stem van de beklaagde voorlopig niet horen – en haalde een schetsblok, het kleine doosje met waterverf en wat penselen uit mijn tas. Het tekenblok legde ik op mijn knieën en daarop stalde ik het doosje met aquarelverf en de penselen. Ik bukte me voorzichtig en haalde een mok en een flesje spa blauw tevoorschijn, draaide het dopje van het flesje en vulde de kop halfvol met water. De beker zette ik tussen mijn schoenen op de vloer. Ik koos een penseel, een duur marterharen exemplaar, waaraan ik erg verknocht was, en zette het in de mok met water. Als laatste attribuut haalde ik een kleine toneelkijker uit mijn tas die ik ooit in een antiekzaak had gekocht. Pavković was inmiddels gaan zitten. Ik bestudeerde de man: een wijkende haardos, die hij artistiek tot over zijn oren droeg, waardoor hij er nog jong en vrij knap uitzag voor zijn leeftijd. Ik nam een potlood en begon mijn schets bij de ogen. Waren dat niet de spiegels van de ziel? Pavković had lichte pupillen, tussen blauw en staalgrijs in. Er speelde een arrogant trekje rond zijn ogen en mond. Als Lina me niet had verteld dat deze man mogelijk verantwoordelijk was voor honderden, misschien wel duizenden doden, dan zou ik het uiterlijk van Pavković zelfs omschrijven als charmant, maar met alle kenmerken van een gladde politicus. Toen ik tevreden was over het portret, bracht ik met het penseel enkele kleurtoetsen aan. Bij processen die ik voor de krant versloeg gebruikte ik zelden waterverf. Het was een te traag medium om de personages in een rechtbankdrama vlot te schetsen. Daartoe leenden zich pastels of kleurpotloden veel beter. Maar omdat er hier geen tijdsdruk was en ik de schets voor eigen rekening maakte – De Nieuwskrant had immers niet om tekeningen gevraagd –, verkoos ik de traagheid van waterverf. Ik had het gevoel dat ik daarmee meer vrijheid genoot bij het portretteren van personen. Ik bekeek mijn schets en nam me voor elke dag dat ik het proces bijwoonde, minstens één tekening van Vlastimir Pavković te maken. Heimelijk hoopte ik zo de mens achter de van oorlogsmisdaden verdachte Servische leider tevoorschijn te toveren. Al maakte ik me weinig illusies, ook bij andere rechtszaken was het me bijna nooit gelukt de ware aard van een beklaagde in mijn tekeningen te verbeelden. Het uiterlijk van een misdadiger liet zelden iets zien van zijn innerlijke demonen. Integendeel, vaak waren het juist mensen die je buren konden zijn.

Ik stak de schets en het tekenmateriaal weg en zette de hoofdtelefoon op. Luisterend naar de simultaanvertaling probeerde ik de betogen te volgen. Af en toe richtte ik mijn toneelkijker op het gezicht van de verdachte. Al snel begreep ik dat Pavković de zitting opnieuw trachtte te verdagen, omdat – zo hield hij het hof voor – hij meer tijd nodig had om zich voor te bereiden. Waarom wilden die mannen toch per se zichzelf verdedigen, vroeg ik me af. Milošević had er ook op gestaan, herinnerde ik me. Het ging niet om financiën, want Lina had me verteld dat de verdachten fondsen kregen voor hun verdediging. Wellicht deden ze het omdat ze op die manier nog steeds – zoals ze tijdens de oorlog gewend waren – de regie meenden te kunnen voeren. De hoofdrechter leek niet onder indruk van de Serviër en wees hem op kalme toon terecht: 'Meneer Pavković, ik herinner u eraan dat u al een uitstel van tien maanden is verleend door dit hof. Morgenvroeg zal deze Kamer beginnen met het voorlezen van de aanklacht. Voor vandaag is de zitting geschorst.'

'All rise,' hoorde ik in mijn hoofdtelefoon en samen met de aanwezigen in de rechtszaal stond ik op. Pas toen iedereen stond, verlieten de rechters de zaal. De bewaker begeleidde ook de verdachte naar de uitgang. Samen met Lina en de toeschouwers verliet ik de publieksruimte. Lina haastte zich naar de perszaal. Enkele mannen om me heen spraken met opgewonden stemmen in een taal die ik niet verstond. Journalisten uit de streek van Pavković, vermoedde ik, die er duidelijk niet blij mee waren dat de man door een procedureslag opnieuw geprobeerd had zijn zaak te rekken.

16

Pavković' poging het proces opnieuw te verdagen was ook een item in het nieuws dat ik 's avonds met Lina bekeek op het televisietoestel in haar hotelkamer. Het voorstel om samen nog een aperitief te drinken terwijl we naar het journaal keken voor we gingen eten in het restaurant van het hotel kwam van haar. Toen ik op haar deur klopte, duurde het even voor ze opendeed.

'Sorry, ik was nog niet helemaal aangekleed,' zei ze, terwijl ze me binnenliet.

Ik zag dat ze gedoucht had. Haar haren waren nog vochtig. In plaats van een spijkerbroek en truitje droeg ze nu een jurkje in zwart chiffon, dat kort genoeg was om haar slanke benen ten volle te tonen. Ze was blootsvoets. Terwijl ik haar de kamer in volgde, vloekte ik inwendig. Ik had niet eens de moeite genomen om me te scheren, laat staan dat ik me in avondkleding had gehesen. Hoe zou ik ook: ik had er niet eens aan gedacht om een pak mee te nemen. In mijn jeans en hemd stak ik erg af tegen het modieuze jurkje dat Lina droeg. Ik voelde me ongemakkelijk, terwijl ik mezelf bekeek in de spiegelende deuren van de wandkast. In de kamer stond het kleine televisietoestel aan, maar het geluid stond af. Flitsende reclame voor een of andere deodorant vulde het scherm. We namen allebei een flesje bier uit de minibar. Lina ging op het bed zitten en zette het volume luider. Ik bekeek staande het NOS Journaal, leunend tegen de muur. Op het grasveld voor de entree van het gerechtsgebouw werd de woordvoerster van de openbare aanklager geïnterviewd. Mirjam Hoogstraten – onderaan het scherm las ik haar naam – was een rijzige vrouw, langer in ieder geval dan de man die haar een microfoon onder de neus hield. Ze had sluik zwart haar dat door de wind telkens weer half voor haar gezicht werd geblazen, zodat ze het voortdurend met een hand achter haar oor probeerde te strijken, terwijl ze verduidelijkte waarom de beklaagde opnieuw had geprobeerd het proces uit te stellen en waarom de zitting vandaag zo vlug was geschorst. Ik vond dat ze zorgelijk keek, maar misschien was dat wel haar morfologie.

'Dit wordt een moeilijk proces dat wel eens erg lang kan duren,' besloot ze en ze haastte zich weg, terwijl de reporter zich naar de camera richtte.

'Vandaag was het een valse start,' zei hij. 'Morgen begint het proces tegen Vlastimir Pavković pas echt. Dit was het vanuit Den Haag.'

Het beeld schakelde over naar de nieuwslezer in de studio, die de verslaggever bedankte en een volgend item begon.

Lina drukte met de afstandsbediening het toestel uit en stond van het bed op. 'Die Mirjam Hoogstraten zou ik graag een keer spreken,' zei ze, terwijl ze een aantekening maakte op een notitieblokje dat op het nachtkastje lag. 'Zij moet toch weten welke getuigen er worden opgeroepen in dit proces.'

'Dat vermoed ik wel,' zei ik en ik dronk mijn flesje bier leeg, dat ik vervolgens op de minibar zette. 'Ik heb honger,' zei ik. 'Laten we gaan eten.'

Lina wurmde haar voeten in vuurrode pumps. Ze stak het notitieboekje in haar handtas, monsterde zich nog even in de spiegeldeuren en zei: 'Klaar.'

We liepen naar de lift.

Terwijl we afdaalden, bekeek ik ons in de spiegel. Ik had eigenlijk nooit begrepen waarom de meeste liften ermee waren uitgerust. Was het om de ruimte groter te laten lijken voor mensen met claustrofobie? Of kwam het tegemoet aan de narcisten onder ons die zichzelf graag bewonderden. Wat ik zag, beviel me niet.

'Hopelijk is het restaurant niet al te chique, want ik ben er niet op gekleed,' zei ik.

Niet alleen mijn jeans en hemd vielen duidelijk uit de toon naast het hippe jurkje van Lina, mijn versleten gympen staken schril af bij de rode pumps die ze droeg.

'Ach, dat is toch niet belangrijk, Lucas.'

We liepen het restaurant binnen, een langwerpige ruimte in stemmige verlichting. Het was er druk en even vreesde ik dat het vol was. We hadden niet gereserveerd. Maar een ober wenste ons goedenavond en loodste ons naar een tafeltje achter in de zaak. Hij overhandigde ons een menukaart.

We bestudeerden hem zwijgend.

'Wil je ook wijn?' vroeg ik.

'Ja, doe maar,' zei Lina, die had beloofd de rekening te betalen. 'Al ben ik er zeker van dat ze die fles bij de krant van mijn onkostennota zullen schrappen.'

'Wat is die Blok toch een echte vrek,' zei ik.

Lina glimlachte.

Ik koos voor een chablis.

De ober bracht de wijn in een koelemmer.

'Wilde je eigenlijk altijd journalist worden?' vroeg ik, terwijl we klonken.

'En jij? Wilde je altijd tekenaar worden?'

'Eigenlijk wel, ja,' zei ik. 'Ik teken al zolang ik een potlood kan vasthouden.'

'Voor mij geldt dat niet. Ik ben er hier in België toevallig ingerold. Als ik in Kosovo zou zijn gebleven, dan was ik waarschijnlijk een simpel huisvrouwtje geworden. De emancipatie van de vrouw heeft daar nog een flinke weg af te leggen.'

'Heb je er nog contacten?'

'Nee.'

De ober bracht het voorgerecht.

'Hoe ben je eigenlijk in België beland?'

'Ik moest weg uit Kosovo. Toen de oorlog was afgelopen, had ik er niets meer te zoeken. Mijn familie... Ik heb ze niet eens kunnen begraven, Lucas.'

Ik wilde eigenlijk een andere vraag stellen, maar bedacht me en vroeg: 'Wat deden je ouders?'

'We hadden een boerderij. Die is helemaal vernield.' Lina nam haar glas wijn op, maar dronk niet. 'Ik ben hiernaartoe gekomen om mijn verleden achter me te laten. Het was niet gemakkelijk, zeker omdat ik de taal moest leren, maar ik heb altijd van talen gehouden en ik heb hard gewerkt. Uiteindelijk kon ik studeren met een beurs. Het was een kans die ik met beide handen heb gegrepen. Ik heb me echt op die studies gestort. Toen ik aan de universiteit studeerde, schreef ik al over de toestand in de Balkan, al had ik niet onmiddellijk de ambitie om journalist te worden. Maar het ene artikel leidde tot een ander en zo kreeg ik enkele opdrachten. Uiteindelijk heb ik gesolliciteerd bij *De Nieuwskrant*.'

'En Blok heeft je meteen in dienst genomen.'

Lina knikte. 'Hij zal die dag soms ongetwijfeld vervloeken.'

Ik glimlachte. 'Dat denk ik niet, Lina. Integendeel.'

17

De volgende morgen wandelden Lina en ik van het hotel naar het gerechtsgebouw. Een statige laan was het, omzoomd met bomen in herfstkleuren, waar het licht van een waterig zonnetje doorheen speelde. We wilden net samen met enkele andere passanten een kruispunt oversteken, toen we werden tegengehouden door bereden politie. De straten werden vrijgehouden, terwijl er met hoge vaart een colonne van gepantserde wagens passeerde.

'Pavković,' zei Lina. 'Zo wordt de man elke dag van de gevangenis in Scheveningen naar het tribunaal gevoerd. Wist je trouwens dat die penitentiaire instelling in een wijk ligt die Belgisch Park heet?'

'Erg attent van de Hagenaren, moet ik zeggen.'

Het konvooi verdween uit het zicht. Ik vroeg me af wat een man als Pavković dacht terwijl hij op deze opvallende manier door de lanen van Den Haag werd gevoerd. Zat hij nu rustig met een bewaker te keuvelen? Of was hij in zijn dossier aan het bladeren om alvast de aanklacht te lezen die hij zo dadelijk te horen zou krijgen? Misschien las hij wel gewoon een krant in de wetenschap dat het toch allemaal niets uitmaakte, omdat hij wist dat hij voor de rest van zijn dagen een gevangene zou zijn. Honderden mensen waren al maanden in touw om te zorgen voor een zo eerlijk mogelijk proces. En zijn rechtszaak zou wellicht nog eens maanden, mogelijk zelfs jaren duren. Maar stond de uitkomst al niet bij voorbaat vast?

'Heeft hij eigenlijk het tribunaal erkend?' Vroeg ik, toen we het gerechtsgebouw binnenwandelden.

'Nee, net als Milošević weigert hij dat. Daarom verdedigt hij ook zichzelf, al wordt hij wel bijgestaan door advocaten. Hij beweert dat zijn zaak voor het VN-tribunaal een showproces is.'

'Er is in ieder geval veel belangstelling voor,' zei ik, de toeloop van het publiek monsterend.

Net zoals gisteren, was de opkomst voor de zitting groot. Opnieuw dienden we aan te schuiven voor de publiekstribune. Er stond een andere bewaker dan de vorige dag en ik moest mijn rugzakje weer openen. Net als zijn vrouwelijke collega de dag ervoor, haalde de bewaker het aquareldoosje tussen mijn spullen uit. Het moest in hun ogen potentieel een gevaarlijk iets vertegenwoordigen. De man knikte na inspectie nors dat ik verder mocht.

Wachtend op de beklaagde, dacht ik terug aan de vorige avond. Na het diner hadden we, allebei wat roezig door de fles chablis die we hadden gekraakt, onze kamers opgezocht. In de lift stonden we dicht tegen elkaar en Lina had even haar hoofd op mijn schouder gelegd, waarbij ze zacht had gezucht dat ze zo moe was. Voor haar deur hadden we wat ongemakkelijk staan dralen, alsof we allebei opzagen tegen de troosteloze aanblik van een lege hotelkamer en niet wisten hoe we afscheid moesten nemen. Op een bepaald ogenblik had ik overwogen haar tegen me aan te trekken en te kussen. Maar net op dat moment had Lina me, alsof ze mijn manoeuvre voelde aankomen, een zacht duwtje tegen mijn borstkas gegeven – een liefdevol, maar duidelijk gebaar – en was ze haar kamer binnengestapt.

Vlastimir Pavković kwam net als de vorige dag de rechtszaal binnengeschreden alsof hij de Zonnekoning was. Met overdreven gebaren liet hij zijn lange gestalte in de beklaagdenstoel zakken. Ik vermoedde dat zijn opvallende gedrag moest onderstrepen dat hij de hele vertoning als een showproces beschouwde, maar het kon ook een manier zijn om zijn angst te maskeren, want toen de openbare aanklager de aanklacht begon voor te lezen, was het niet bepaald min wat de rechtbank en het publiek te horen kregen.

'De openbare aanklager van het Internationaal Strafhof voor het voormalige Joegoslavië, gevolge zijn autoriteit onder artikel 18 van het statuut van het tribunaal, beschuldigt Vlastimir Pavković van genocide, misdaden tegen de menselijkheid en schendingen van de wetten en gebruiken van de oorlog, zoals hierna aangegeven. De beschuldigde...'

Terwijl ik samen met de andere aanwezigen luisterde naar de opsomming, probeerde ik, zoals ik me had voorgenomen dagelijks te doen, een schets te maken van Pavković, maar wat op het tekenblad verscheen, was eerder een karikatuur dan een portret van de man en ik hield er al snel mee op. Ik luisterde naar de aanklacht, die met een sonore stem werd voorgelezen en die in punten werd behandeld. Na elk punt werd Pavković gevraagd hoe hij pleitte op de tenlastelegging: schuldig of onschuldig? Telkens opnieuw herhaalde zich dezelfde scène: Pavković kruiste zijn armen voor zijn borst en weigerde op de vraag te antwoorden. De rechter bleef aandringen, maar Pavković sneerde elke keer weer dat hij het hof illegaal achtte en op de vraag dan ook niet kon antwoorden. Uiteindelijk liet de rechter na dat antwoord in het verslag notuleren dat de aangeklaagde onschuldig pleitte. Heel de vertoning nam al gauw enkele uren in beslag. Ik zat onbeweeglijk op mijn stoel, terwijl ik murw werd geslagen met de details van moordpartijen en deportaties die onder Pavković' bevel in Kosovo waren verricht: mannen die uit hun huizen waren gesleurd en voor de ogen van hun gezin waren afgemaakt, vrouwen die waren verkracht en vermoord, kinderen die koelbloedig waren doodgeschoten, sommigen zelfs niet ouder dan twee jaar; vluchtelingen, die slecht ter been waren en die op tractoraanhangers wegvluchtten, waren door Joegoslavische en Servische troepen tegengehouden en hun aanhangwagens waren in brand gestoken, waarbij mensen om het leven kwamen, terwijl de soldaten toekeken. Als ik al die verhalen niet in een rechtszaal te horen had gekregen, zou ik nooit geloofd hebben dat mensen tot dergelijke gruwelijkheden in staat waren, ja, dat het alleen maar fictie kon zijn. Wie weet was het wel de eerste keer dat de voormalige assistentminister bij het Servische ministerie van Binnenlandse Zaken de details leerde kennen van de terreurdaden die onder zijn bestuur in Kosovo waren verricht. Maar als dat zo was, dan leek Vlastimir Pavković niet onder de indruk van deze opsomming. Hij bleef de hele tijd stoïcijns luisteren en richtte zijn arrogante blik zelfs af en toe op het publiek.

Ik keek naar Lina die naast me zat. Maar ook zij had kalm toegehoord en had de aanklacht puntsgewijs genoteerd op haar schrijfblok. Ik las het lijstje door: genocide, medeplichtigheid aan volkerenmoord, moord als misdaad tegen de menselijkheid, moord als schending van de wetten en gebruiken van oorlog, uitroeiing als misdaad tegen de menselijkheid, opzettelijke doding als ernstige schending van de Geneefse Conventies, vervolging om politieke, raciale en religieuze redenen, deportatie als misdaad tegen de menselijkheid, het illegaal terroriseren van burgers, het nemen van gijzelaars en als laatste stond er, alsof al het vorige nog niet voldoende was: andere onmenselijke handelingen. Zo neergepend leek het allemaal erg abstract, vond ik.

Toen de zitting voor twee uur werd geschorst, verliet ik samen met Lina en omstuwd door de rest van het publiek, dat opvallend zwijgzaam was deze keer, de zaal. Ik volgde Lina naar de persruimte.

'Ik vraag me af of er eigenlijk nog een aanklacht bestaat die niet tegen deze man is geuit. Hij moet toch zowat beschuldigd zijn van elke misdaad die een mens kan begaan,' zei ik.

'Een oorlog brengt het beste in de mens naar boven,' zei Lina. 'Volgens mij was hij een zielig ambtenaartje voor het conflict uitbrak en heeft hij zich tijdens de oorlog extra willen bewijzen voor zijn superieuren.'

'Ik weet het niet. Zielig ziet die Pavković er in mijn ogen niet uit. Zoals hij het publiek durft aan te kijken... Die man was meer dan een strebertje. Volgens mij gelooft hij dat hij hier nog mee wegkomt ook.'

'Je vergeet dat het proces nog gevoerd moet worden, Lucas. Jij hebt de man blijkbaar al veroordeeld, maar ook voor het Joegoslavië-tribunaal geldt dat iedere verdachte geacht wordt onschuldig te zijn tot het tegendeel is bewezen. Waarom zouden ze anders al die processen voeren? Al zal Pavković toch met een verdomd goede verdediging moeten komen...'

Nadat Lina een verslag van de zitting in een artikel had gegoten en de tekst naar de redactie had gestuurd, stelde ik voor om nog iets te gaan drinken voor het tweede deel van de zitting begon. We liepen naar buiten en kozen een café niet ver van het gerechtsgebouw. Het was er druk. Achterin waren er nog enkele tafeltjes vrij.

Lina bestelde een thee en ook een tosti.

'Ik hou het bij koffie. Ik heb eerlijk gezegd geen honger na het horen van al die verschrikkelijke verhalen.'

'Je moet het beschouwen als een veelvoud van wat we in die rechtszaken te horen krijgen.'

'In die processen heb ik nog het gevoel dat het over mensen handelt; hier lijkt het wel of het over een goed afgestelde machine gaat... een moordmachine.'

'Dat was het ook. Wat is genocide anders?'

De ober bracht onze bestelling. Terwijl ik mijn koffie dronk, keek ik naar drie mannen die aan een belendend tafeltje plaatsnamen en meteen druk begonnen te overleggen in een taal die ik niet kende. Het was aandoenlijk om te zien hoe fel ze debatteerden.

Lina spitste haar oren. 'Streekgenoten,' zei ze.

Toen ze hen aansprak, stopten ze abrupt met hun discussie. Het was de eerste keer dat ik Lina in die vreemde taal hoorde praten. Een van de mannen wisselde enkele woorden met haar. Ze keerde zich weer naar mij. 'Het zijn journalisten uit de regio die het proces verslaan,' zei ze. 'Ze nodigen ons uit aan hun tafel en vragen of je iets van hen wilt drinken.'

'Ik wil nog wel een koffie.'

Ik stond op en schudde handen.

Nadat de ober de bestelling had gebracht, ontspon er zich een geanimeerd gesprek met Lina waar ik geen woord van begreep. De mannen leken zich ergens over te ergeren, dat maakte ik op uit de gebaren waarmee ze hun woorden kracht bijzetten. Af en toe hoorde ik de naam van de beklaagde vallen, het enige woord dat ik herkende. Terwijl ik mijn koffie dronk en luisterde naar het gesprek dat voor mij uit louter klanken bestond, kreeg ik opnieuw het gevoel dat ik hier eigenlijk niets te zoeken had, maar Lina des te meer.

Gezamenlijk verlieten we het café. Terwijl we terugliepen naar het gerechtsgebouw, bleven de mannen druk op Lina inpraten. Toen we in de publieksruime weer op onze stoel zaten, vroeg ik haar wat ze te vertellen hadden.

'Een van hen beweert dat er een serieus probleem is opgedoken. Hij is bevriend met iemand die werkt voor de aanklagers en die heeft hem vanmorgen verteld dat het vrijwel zeker is dat het proces opnieuw wordt uitgesteld.'

'Krijgt Pavković dan toch meer tijd voor zijn verdediging?'

'Nee, die vraag heb ik hem ook gesteld, maar hij heeft geen idee wat de reden is. Misschien krijgen we daar dadelijk meer opheldering over. Ik heb hem gevraagd of ik na de zitting met zijn vriendin kan spreken. Hij beloofde me dat hij zou proberen een afspraak te versieren.'

Het hof had haar plaatsen weer ingenomen. Pavković zat in de beklaagdenstoel. De hoofdrechter liet de griffier, een blonde vrouw met opgestoken kapsel en een grote uilenbril, de zaak opnieuw openen, zoals zij dat ook vanmorgen op een nuchtere toon had gedaan.

'Goedemiddag, Edelachtbaren en iedereen in deze rechtszaal. Dit is zaak nummer IT-03-82-T, de openbare aanklager tegen Vlastimir Pavković.'

'Dank u, mevrouw de griffier. Dan geef ik nu het woord aan de openbare aanklager.'

De man in zwarte toga die opstond, keek zorgelijk naar de bank met rechters. 'Edelachtbaren,' groette hij en hij aarzelde toen even. 'We moeten het hof helaas meteen verzoeken tot opschorting van dit proces.'

Er ontstond rumoer in het publiek. Ik keek naar Pavković. Hij leek niet verrast door het nieuws. Met een zelfvoldane glimlach op zijn gezicht keek hij om zich heen.

'Op welke gronden wilt u het proces uitstellen?' vroeg de president, die zich met zichtbaar ongenoegen naar de openbare aanklager keerde.

'De eerste getuige die we aan het woord willen laten komen, is niet aanwezig.'

'En wat is de reden van de afwezigheid?'

'Dat kunnen we om redenen van veiligheid hier niet openbaren. Daarom konden we ook het hof niet eerder inlichten.'

'Getuige...' De rechter keek even op het schermpje voor hem. '... L104 kan op een later tijdstip getuigen. U kunt uw tweede getuige oproepen.'

Ik zag de openbare aanklager even hulpeloos naar de bank met zijn medewerkers kijken voor hij tegen de rechters zei: 'Ook mijn tweede getuige is hier niet aanwezig.'

'En wat is de reden?'

'Ook dat kunnen we niet openbaren omwille van veiligheidsredenen. De derde getuige is wel aanwezig, maar we zijn niet voorbereid om die nu al aan de beurt te laten komen. Daarom vragen we het hof om het proces uit te stellen.'

'U hebt bijzondere getuigen, meneer de aanklager,' zei de hoofdrechter.

Ik zag hoe de man zijn stoel wat naar achteren schoof om overleg te plegen met zijn twee collega's.

'Dit kan onmogelijk toeval zijn,' zei ik tegen Lina.

Ze knikte. 'Ik vermoed dat we nu de identiteit wel kennen van de twee lijken die zijn gevonden, ook al weten we dan hun namen niet. Het tribunaal gebruikt voor beschermde getuigen altijd nummers om hun identiteit niet te onthullen. En ze worden ook niet getoond aan het publiek. Ik wil graag met die woordvoerster van de openbare aanklager spreken.' Lina begon door haar notitieblokje te bladeren. 'Hoe heette die vrouw ook weer die we gisteren in het journaal zagen?'

'Mirjam Hoogstraten,' zei ik.

'Juist. Ik wist dat ik het ergens genoteerd had.'

'Maar je hebt zo dadelijk toch al een afspraak met een van zijn medewerkers?'

'Ja, maar hoe meer informatie we kunnen verzamelen, hoe beter. We hebben niet alleen de namen van de twee slachtoffers niet, Lucas, we weten evenmin wat ze precies voor getuigenissen wilden afleggen. Ik moet met Bert bellen om te overleggen hoe we dit gaan brengen. Maar eerst moet ik nog een stuk schrijven over dit nieuwe uitstel.'

De rechters waren blijkbaar tot een besluit gekomen. De hoofdrechter richtte zich weer tot de bank van de openbare aanklager: 'Dit is een onverwachte wending in het proces, maar u laat ons geen andere keuze. Hoeveel tijd hebt u nodig?'

'Enkele dagen.'

'Goed, dan zullen we de zitting nu verdagen sine die. We hervatten het proces begin volgende week op maandag, om 14 uur of op dinsdag om 9 uur, in dezelfde zaal.'

18

Het vroegtijdig beëindigen van de zitting gaf aanleiding tot een rush op de persruimte. Samen met haar collega-journalisten was Lina meteen opgevlogen en ernaartoe gesneld, zonder op mij te wachten. Ik kuierde op mijn dooie gemak achter hen aan en toen ik het lokaal binnenliep, dat overvol was, zat ze al geconcentreerd op haar laptop te tikken. Ik liet haar en haar collega's aan het werk en liep de trappen af naar buiten. Over het grasperk voor het gerechtsgebouw wandelde ik naar de waterpartij en ik ging op de brede betonnen rand van het bassin zitten. Ik genoot van het zonnetje dat reflecteerde in het water van het bekken. Hoe zwak de zon ook scheen, haar stralen verwarmden me wel. Uit mijn tas diepte ik mijn schetsblok en een potlood op en wilde de gevel van het gebouw beginnen te tekenen, gewoon om wat om handen te hebben, toen mijn oog viel op de tekening van Vlastimir Pavković die ik gisteren had gemaakt. Het moest deze man wel erg goed uitkomen dat er twee getuigen niet waren komen opdagen op de zitting, vanmiddag. Zijn aanvraag om uitstel was dan wel geweigerd door het hof, hij had nu toch wat hij wilde. Al gold het uitstel dan slechts enkele dagen. Als Pavković niet verantwoordelijk was voor de misdaden die hem ten laste werden gelegd, hoe kon die man dan zo onbewogen naar al die verhalen zitten luisteren, vroeg ik me af. Mij hadden de meeste getuigenissen die waren voorgelezen doen huiveren. Een vast stramien was dat in dorpen mannen en vrouwen van elkaar werden gescheiden, waarna de vrouwen werden weggestuurd en terwijl ze wegwandelden, de schoten hoorden waarmee hun echtgenoten of zonen werden omgebracht. Of mensen werden koelbloedig in hun eigen huis afgemaakt. Een van de afschuwelijke verhalen waar ik met de grootste moeite naar had kunnen luisteren ging over een militair die een zwangere vrouw en haar schoonbroer had doodgeschoten voor de ogen van haar vierjarige zoon en haar baby van één jaar oud. Hij had van zo dichtbij op hen gevuurd dat hun gezichten helemaal waren verminkt. De dag ervoor nog maar had de vrouw haar man, die al een tijd vermist was, teruggevonden: zijn lijk was met een dozijn andere lichamen uit het mortuarium van Pristina naar haar dorp gebracht.

Zonder veel animo liet ik het potlood op het blad papier de gevellijnen van het gerechtsgebouw zoeken, maar al tekenend probeerde ik me te concentreren, om zo de verhalen die ik daarbinnen had gehoord te vergeten.

Toen ik Lina naar buiten zag komen, pakte ik mijn spullen in en liep ik naar haar toe. Ze was druk in gesprek met een van de mannen die we vanmiddag in het café hadden ontmoet.

'Lucas, we moeten naar Scheveningen. De vriendin van Basri heeft net gebeld dat ze op ons wacht bij het strand. Ik stel voor dat we Engels praten, dan kan Basri het ook volgen.'

'Waarom Scheveningen?' vroeg ik.

'Ze wil hier in de buurt van het gerechtsgebouw liever niet gezien worden met journalisten,' zei Basri. 'Kom, we moeten ons haasten.'

Met zijn drieën verlieten we het terrein. We staken een kruispunt over en Lina en ik volgden Basri die in hoog tempo naar een tramhalte stapte. Ik zag hem om zich heen spieden en vroeg me af of we hem wel konden vertrouwen. We kenden hem immers nog maar net. Maar Lina leek alle vertrouwen te hebben in de man, ook al maakte die een zenuwachtige indruk.

'Ik heb met Bert gebeld,' zei ze. 'Nu het proces is stilgelegd, wil hij dat ik nog vanavond terugkeer. Tenzij ik dadelijk nog informatie zou krijgen die ik hier moet onderzoeken.'

'Ik ben benieuwd,' zei ik. 'Het lijkt me allemaal nogal geheimzinnig.'

Terwijl we op de tram wachtten, vertelde Basri ons dat hij sinds eind jaren negentig voor een nieuwsagentschap werkte dat zijn uitvalsbasis in Den Haag had en dat op regelmatige basis verslag deed van het werk van het Joegoslavië-tribunaal en het Internationale Hof van Justitie, met dagelijkse berichtgeving en een wekelijkse tv-uitzending. Zo had hij zijn vriendin hier leren kennen en Basri glimlachte bij die mededeling wat mysterieus.

De tram reed voor en we stapten in.

'Basri is Kosovo net als ik ontvlucht,' zei Lina. 'Hij volgt de zaken hier sinds het begin en heeft al een massa interessante informatie verzameld in de zaak tegen Pavković.'

'Ik heb Lina beloofd haar een uitgebreid dossier te bezorgen,' zei Basri. 'Maar eerst moeten jullie luisteren naar wat mijn vriendin te vertellen heeft.'

Toen we uit de tram stapten, leidde Basri ons door enkele straatjes. Ik meende de zee al te ruiken nog voor ik die zag. Plotseling dook tussen de huizen de horizon op, een onbestemde streep in de verte die de grijze lucht en het grauwe water scheidde. We liepen de promenade op. Het strand was vrijwel verlaten, op enkele wandelaars na.

Basri keek om zich heen. Hij leek even te aarzelen, maar stapte toen resoluut in de richting van een parkeerplaats langs de strandweg waar een Renault Espace geparkeerd stond. Ernaast stond een vrouw een sigaret te roken. Ze stond met haar rug naar ons toe en leek in gedachten verzonken naar de zee te staren. Ze had sluik zwart haar en nog voor ze zich naar ons omdraaide, herkende ik de vrouw: het was Mirjam Hoogstraten, de woordvoerster die we de vorige avond op tv hadden gezien.

'Sorry voor deze wat vreemde manier van doen,' zei ze, terwijl ze ons een hand gaf. 'Maar ik wil mezelf niet in de problemen brengen. Is het goed dat we Engels praten?' Ze schakelde moeiteloos over naar de andere taal. 'Het is dat Basri een goede vriend is, anders zou ik dit nooit doen. Hij heeft echt moeten aandringen. Jullie zijn journalisten, toch?'

'Mijn collega en ik werken voor De Nieuwskrant, een Vlaams dagblad,' zei Lina.

'Ik heb Mirjam beloofd dat jullie omzichtig zullen omspringen met de informatie die ze jullie zal geven,' zei Basri.

'Uiteraard,' zei Lina.

'Laten we over het strand wandelen,' zei Mirjam.

Met zijn vieren liepen we naar een brede trap en daalden de treden af, terwijl Mirjam begon te vertellen: 'Ik ben politiek adviseur en woordvoerder van de openbare aanklager. We zijn al jaren bezig met de voorbereiding van het proces tegen Vlastimir Pavković. We hebben een sterke zaak opgebouwd, mede omdat we enkele getuigen hebben die de betrokkenheid van Pavković bij de terreurdaden kunnen staven. Het zijn ex-militairen die tot inzicht zijn gekomen dat wat ze tijdens de oorlog in Kosovo hebben uitgevoerd misdadig was, ook al voerden ze toen orders uit van hogerhand. Ze zouden normaal zelf terechtstaan, maar omdat ze willen getuigen krijgen ze strafvermindering of wellicht zelfs kwijtschelding van straf.'

Mirjam zweeg even omdat niet ver bij ons vandaan een ouder koppel voorbijwandelde. De vrouw knikte vriendelijk naar ons.

'Wat ik jullie ga vertellen is explosief materiaal. Het zal niet alleen het Openbaar Ministerie van het tribunaal in opspraak brengen, maar mogelijk ook de binnenlandse politiediensten. Wat jullie met het materiaal doen, moeten jullie zelf beslissen. Maar ik zal altijd ontkennen dat ik met jullie heb gesproken.'

'We zijn journalisten,' zei Lina. 'Uiteraard geven wij onze bronnen niet vrij.'

'Goed,' zei Mirjam. Ze veegde met een hand een paar haren uit haar gezicht. 'Een maand geleden heeft een van de getuigen gemeld dat ze bedreigd werd. Ze ontving anonieme telefoontjes dat ze haar zouden weten te vinden als ze zou getuigen tegen Vlastimir Pavković.'

'Dat was een van de twee getuigen die niet aanwezig waren?' vroeg Lina, die aantekeningen maakte.

'Ja. Haar naam is Jelena Mihajlović. We hebben uiteraard meteen de bevoegde autoriteiten op de hoogte gebracht. Nu moet ik wel zeggen dat dergelijke bedreigingen vaker voorkomen.'

'De relatie tussen de slachtoffers en mogelijke verantwoordelijken is een moeilijke materie,' zei Basri. 'Het zorgt jaren na het einde van het conflict nog steeds voor hoogoplopende geschillen.'

Mirjam knikte. 'De autoriteiten hebben de bedreigingen aan Jelena duidelijk onderschat – juist omdat het wel vaker gebeurt –, want twee weken geleden kregen we van de politie het verschrikkelijke nieuws dat ze dood was aangetroffen op een strand in Zeeland.'

Ik bleef staan en keek naar Lina, die knikte en vroeg: 'In de buurt van Breskens?'

'Ja.'

'Het was mijn collega hier die haar heeft gevonden. Lucas was daar met vakantie.'

'Werkelijk?' vroeg Mirjam, die een hand voor haar mond sloeg.

Ik knikte. 'Ze is vlak bij de vuurtoren aangespoeld. Ze was erg verminkt. Volgens het autopsieverslag is de vrouw gewurgd.'

'Dat hebben we ook vernomen,' zei Mirjam. Ze keek van me weg en staarde naar de zee. 'Ik kende Jelena redelijk goed, omdat ik me in het begin dat ze in het getuigenprogramma kwam wat over haar heb ontfermd. Het was een kranige dame, maar ze had het er erg moeilijk mee om haar oorlogsjaren als soldaat te verwerken. Ze leefde onder een schuilnaam in Terneuzen.'

'Ze had een opvallend litteken van een wond,' zei ik. 'Volgens de arts die de autopsie heeft uitgevoerd, zou ze een niertransplantatie hebben gehad.'

'Dat klopt. Het is trouwens een vreselijk verhaal. Bij een gevecht raakte ze ernstig gewond door een kogel die een van haar nieren heeft geraakt. Ze had het geluk dat ze haar snel hebben kunnen evacueren en vrijwel meteen kunnen opereren. Later is ze erachter gekomen hoe het mogelijk was dat ze zo snel werd geholpen. Een Kosovaarse vrouw is doodgeschoten om haar aan de nier te helpen voor de transplantatie. Ze was daar hevig door getraumatiseerd.'

'Er gaan verhalen van speciale kampen waar mensen werden gevangen gehouden voor de organen,' zei Basri.

'Vertel je ons nu dat ze mensen opsloten om ze vervolgens open te snijden om hun organen te oogsten?' vroeg Lina.

Ik hoorde de woede in haar stem.

Basri knikte. 'De gevangenen werden zelfs extra goed gevoed en behandeld om er zeker van te zijn dat ze kwaliteit leverden.'

'Die verhalen zijn nooit bewezen, Basri,' zei Mirjam. 'Bovendien beschuldigen de Serviërs op hun beurt de Kosovaren van dergelijke praktijken. De Europese Unie heeft onlangs zelfs een onderzoek bevolen. Mij lijkt het eerder een strategie om de andere partij in diskrediet te brengen en zo de processen die hier in Den Haag worden gevoerd te beïnvloeden.'

Ik merkte een duidelijke spanning tussen hen beiden en probeerde het gesprek een andere richting uit te sturen. 'En de tweede getuige?'

'Ook die is dood teruggevonden,' zei Mirjam. 'Een week na Jelena.'

'In de haven van Antwerpen?'

'Ja, ik dacht dat die informatie enkel bij de autoriteiten bekend was... Zijn naam is Ivan Lukić. Hij woonde ook ergens in Zeeland, maar waar precies weet ik niet. Hem kende ik niet zo goed als Jelena.'

'Kenden de twee getuigen elkaar?'

'Ja, ze zaten in dezelfde eenheid van het Servische leger tijdens de oorlog in Kosovo. Uiteraard hebben ze Ivan Lukić onmiddellijk beter beveiligd, nadat het lijk van Jelena was gevonden. Wat ik nog altijd niet begrijp, is waarom hij halsoverkop naar Antwerpen vertrok en zo zichzelf in gevaar heeft gebracht. Er wordt verteld dat hij de veiligheidsmensen om de tuin heeft geleid. Misschien is hij wel in paniek geraakt toen hij vernam dat Jelena was omgebracht en vertrouwde hij niemand meer. Hij moet naar België zijn gevlucht omdat hij dacht daar veiliger te zijn.'

'En de andere getuigen?' vroeg Lina. 'Tijdens de zitting sprak de openbare aanklager van een derde getuige, niet?'

'Ja, maar over die persoon kan ik nu echt niets vertellen. Dat is te delicaat. Ik heb al meer verteld dan ik eigenlijk wilde.'

We waren een heel eind over het strand gewandeld, tot dicht

bij de Pier en bijna alsof het afgesproken was, keerden we om en liepen terug in de richting van Mirjams auto.

'Hebben ze eigenlijk kunnen achterhalen van wie die dreig-telefoontjes kwamen?' vroeg Lina.

'Het is natuurlijk ons onderzoek niet, maar ik heb opge-vangen dat ze vanuit Servië verstuurd zouden zijn. Dat spoor wordt momenteel ook onderzocht.'

'Mijn overtuiging is dat Vlastimir Pavković hier zelf achter zit,' zei Basri, die een sigaret opstak. 'Hij heeft immers inzage in zijn dossiers en weet dus perfect welke getuigen een bedrei-ging voor hem kunnen vormen.'

'Hij zit toch in de gevangenis? Hoe kan hij dat dan doen?' vroeg ik.

Basri nam een flinke trek van zijn sigaret en blies de rook door zijn neusgaten. 'De man heeft een aantal vrijheden. Goed, er is geen internettoegang voor gevangenen toegestaan, maar informatie kun je op allerlei manieren naar buiten smokkelen. Zo is het al gebeurd dat een gevangene zogezegd met zijn ad-vocaat aan het bellen was, maar dat diezelfde advocaat net op dat moment zich aanmeldde om de gevangene te spreken. Blijkbaar is er dus toch een manier om naar buiten te bellen. En ook al worden alle brieven nagelezen, het kan best dat er informatie naar buiten wordt gestuurd via een geheime code.'

'Basri, je kunt dit niet hard maken,' zei Mirjam. 'Er bestaat geen enkele aanwijzing dat Pavković iets met de moorden te maken zou hebben.'

'Ik geloof in een oude vriendennetwerk,' zei Basri. 'Volgens mij heeft de man nog steeds militairen of ex-militairen, of voor-malige medewerkers die hem trouw zijn gebleven en die bereid zijn de kastanjes voor hem uit het vuur te halen. Daarom zit hij ook met die arrogante grijns op zijn smoel naar ons te kij-ken in de rechtszaal. De man waant zich nog steeds onaantast-baar.'

'Waarom werd de moord op de twee getuigen zelfs voor de rechtbank verzwegen?' vroeg Lina. 'Dat lijkt me toch ongebruikelijk.'

'De bevoegde autoriteiten hebben daarop aangedrongen,' zei Mirjam. 'Ze hoopten door in stilte te kunnen werken snel een doorbraak in het onderzoek te forceren, maar dat is dus niet gelukt. Ik praat nu met jullie omdat ik persoonlijk vind dat dit al lang in de openbaarheid had moeten komen, al was het maar omdat op die manier zich misschien belangrijke getuigen hadden gemeld. Juist omdat Jelena en ook Ivan Lukić zo moedig waren om te getuigen tegen Pavković, verdienen ze het dat deze zaken tot op het bot worden onderzocht.'

We waren weer bij de trap aangekomen.

'Er is nog een bijkomende reden waarom ik mijn verhaal doe,' zei Mirjam, die bleef staan.

Ik zag haar om zich heen kijken. Ze leek te aarzelen. 'Het ligt wat moeilijk omdat ik hiermee mijn eigen dienst en enkele collega's in diskrediet breng. Ik ben niet iemand die snel de vuile was zal buitenhangen, maar wat er is gebeurd, is in mijn ogen volstrekt ontoelaatbaar en het tribunaal onwaardig. Niet alleen hebben de autoriteiten de getuigen niet voldoende beschermd, enkele verantwoordelijken hebben ook getracht hun fouten uit te wissen. Jullie moeten weten dat de veiligheidsdienst van de VN niet zelf mag optreden in Nederland of België, maar altijd via de binnenlandse politiediensten moeten werken. Toch zijn er mensen gevolgd en zijn er zelfs inbraken gepleegd.'

'Ze hebben mijn laptop en gsm in Breskens gestolen. Daarop stonden beelden die ik gemaakt had van het lichaam van Jelena Mihajlović.'

'Werkelijk?' vroeg Mirjam. 'Er was inderdaad sprake van een journalist die mogelijk de identiteit van een van de getuigen kon onthullen. Ze waren als de dood dat dit zou gebeuren.'

We stonden inmiddels weer bij de Renault Espace.

'Toen het uitkwam dat enkele mensen hun boekje ver te buiten zijn gegaan, heeft de dienst van de openbare aanklager meteen beslist om dit binnenskamers op te lossen. Maar ik vind dat er onvoldoende streng is opgetreden tegen die rotte appels. Dat is ook de reden waarom ik dit wilde vertellen.'

Mirjam keek op haar horloge. 'God, is het al zo laat... Sorry, maar ik moet me haasten. Ik heb zo dadelijk een meeting.'

We namen afscheid.

Mirjam stapte in. Voordat ze het portier van de Renault dichtsloeg, zei ze nog: 'Wat jullie met deze informatie doen is jullie zaak. Maar zoals ik al eerder zei, zal ik altijd blijven ontkennen dat ik met jullie heb gesproken.'

19

Terwijl we met ons drieën terugliepen naar de tramhalte, vertelde Basri hoe hij Mirjam had leren kennen. Hij sprak zo gloedvol over haar dat het niet anders kon of ze hadden een verhouding, maar als ze een koppel vormden, dan hadden ze daar tijdens de ontmoeting niets van laten merken. Op de een of andere manier hing er iets geheimzinnigs rond het figuur van de Kosovaar. Ik luisterde maar met een half oor naar zijn verhaal en ik zag ook dat Lina in gedachten verzonken was. De informatie die de woordvoerster van de openbare aanklager ons zonet had verstrekt, was zoals ze zelf had aangegeven explosief materiaal en zou in de handen van een journalist als Lina en een hoofdredacteur als Bert Blok ongetwijfeld voorpaginanieuws worden.

'Waarom was de woordvoerster eigenlijk bereid met ons te praten?' vroeg ik.

'Omdat Lina een landgenote is. Zij begrijpt de impact van wat Mirjam heeft verteld. Bovendien heeft Mirjam de angst dat als ze met de Nederlandse pers praat, ze dan te gemakkelijk als bron kan worden aangewezen. Dat is ook de reden waarom ik zelf nog niets met het verhaal heb gedaan.'

Met de tram reden we terug naar het centrum van Den Haag. Daar namen we afscheid van Basri.

'Ik beloof je dat ik je dat dossier zo snel mogelijk bezorg,' zei hij en hij gaf Lina een kus. Mij gaf hij een hand, waarna hij met snelle pas wegwandelde en verdween tussen de voetgangers.

We liepen naar het hotel.

'Laten we vlug inpakken en uitchecken,' zei Lina, toen we de lobby binnenstapten. 'Ik wil zo snel mogelijk terug naar Antwerpen.'

Ik keek om me heen. Op een of andere manier had het gesprek met Mirjam Hoogstraten mijn achterdocht weer aangewakkerd. Tijdens de tramrit al had ik het gevoel dat we in de gaten werden gehouden en die indruk werd in de hotellobby alleen maar sterker. Al mijn zintuigen stonden op scherp. Ik spiedde de entreehal rond terwijl we naar de lift liepen, maar niemand leek ons met meer dan gewone interesse op te nemen. Terwijl ik op mijn kamer mijn spullen inpakte, kwam ik wat tot rust. Maar toen we aan de balie hadden afgerekend en de parkeergarage van het hotel uitreden, overviel me opnieuw een paniekerig gevoel. Voortdurend had ik de neiging om te kijken of we niet gevolgd werden. Lina leek er geen last van te hebben. Behendig stuurde ze de kleine Fiat het verkeer door. Even later reden we de snelweg op.

In gedachten verzonken volgden we het verkeer. Het lichaam van de vrouw op het strand in Breskens kwam me weer voor de geest. Ze had een naam nu en ook vormde het litteken dat ik op de foto's had ontdekt niet langer een mysterie. Het was die ontdekking die ons naar Den Haag had geleid.

'We weten nu wel de namen van de twee getuigen,' zei ik. 'Maar eigenlijk weten we nog steeds niet waarom ze moesten sterven. Geloof jij Basri's verhaal dat een of andere schimmige organisatie hierachter zit?'

'Er moet in ieder geval een link zijn met Pavković,' zei Lina.

'Hun getuigenissen zouden hem ongetwijfeld in een moeilijk parket hebben gebracht. Ik hoop dat Basri zijn belofte houdt en ons dat dossier zo snel mogelijk bezorgt.'

'Ik kan me voorstellen dat het voor Jelena Mihajlović een traumatische ervaring moet zijn geweest,' zei ik. 'Dat litteken is wel een gruwelijk detail van een vuile oorlog.'

'Bestaat er dan zoiets als een schone oorlog, Lucas? Dat is toch je reinste contradictie, niet?'

Ik probeerde me Lina voor te stellen in de camouflagekleuren van een legeruniform, met een machinegeweer door slijk en modder ploeterend, beelden die ik kende van oorlogsfilms en televisieseries. Ik kreeg het plaatje niet scherp.

'Ben jij in gevechten betrokken geweest?' vroeg ik.

Lina keek even opzij. Ze zweeg lange tijd.

'Ik heb enkel nog wat schermutselingen op het einde van de oorlog meegemaakt. Het waren soms best heftige gevechten. Ik zat in een speciale eenheid, die dicht bij de grens met Servië opereerde. De NAVO-bombardementen hebben er uiteindelijk voor gezorgd dat de Serviërs uit Kosovo verdwenen. Of we dat met het UÇK ooit hadden kunnen verwezenlijken, geloof ik niet.'

'Wat is het UÇK?'

'Het Kosovaarse bevrijdingsleger. Meteen na de oorlog werd het gedemilitariseerd en door de VN omgevormd tot het Kosovo Protection Corps. Ik heb toen besloten mijn geluk elders te zoeken.'

'Heb je nooit heimwee?'

'Ik heb er niets meer te zoeken.'

Lina zette de radio aan. De verdere rit luisterden we naar muziek en spraken we geen woord meer. We waren al bijna de Kennedytunnel door toen Lina plotseling zei: 'Goh, Lucas! Vergeet ik je thuis af te zetten. Vind je het erg om nog even mee te gaan naar de redactie?'

'Ik was zelf met mijn gedachten ook ergens anders.'

'Sorry, maar in mijn hoofd zat ik al aan artikelen te werken. Ik moet met Bert overleggen hoe we dit gaan aanpakken. Daarna rij ik je wel terug naar de stad.'

Op de redactievloer was het druk. In het kantoor van de hoofdredacteur zat Bert Blok met enkele mensen te vergaderen. Toen hij ons opmerkte, wenkte hij dat we moesten binnenkomen.

'En?' vroeg hij, toen we nog maar net in de deuropening stonden.

'Het is een heel verhaal,' zei Lina. 'Maar het kan iets groots worden.'

'Oké, laat maar horen. We waren hier toch klaar. Of had iemand nog een vraag?'

Lina's collega's schudden hun hoofd.

'Goed, iedereen mijn bureau uit.'

Toen we alleen waren, zei Bert Blok: 'Doe even de deur dicht, Lucas.'

Ik sloot de deur en ging naast Lina zitten. Samen met haar briefte ik de hoofdredacteur over ons gesprek met Mirjam Hoogstraten. Lina voerde het woord. Ik onderbrak haar relaas slechts als ik vond dat ze een belangrijk detail vergat. Bert Blok luisterde aandachtig. Hij zat languit met zijn handen achter zijn hoofd in de bureaustoel. Hij onderbrak ons niet één keer. Toen we ons verhaal hadden gedaan, bleef hij een tijdlang met een zorgelijk gezicht zitten nadenken.

'We moeten hier omzichtig mee omspringen,' zei hij en hij stond op. Met lange passen begon hij door het vertrek te ijsberen. 'Die woordvoerster wil niet met haar naam in de krant, zei je?'

'Nee, ik heb haar beloofd dat ik mijn bron niet zou vrijgeven.'

'Dan moeten we haar verhaal checken. Heb je nog contacten bij het tribunaal?'

'Nee, maar ik kan met die Nederlandse rechercheur bellen,' zei Lina.

'Die ons vroeg om dat verhaal van het litteken uit de krant te houden?'

'Ja, de man heeft daardoor toch ook boter op het hoofd.'

Ik zag de kale schedel van Posthuma voor mijn ogen en glimlachte.

'Goed, doe dat,' zei Blok. Hij keek op zijn horloge. 'Ik moet nu dringend weg. Een debat bij de publieke omroep... Over de impasse bij de regeringsvorming en het aandeel van de media daarin. Alsof we daarover even in een discussietje van een kwartier...' De hoofdredacteur wuifde de rest van zijn zin met een handbeweging weg. 'Morgenvroeg gaan we met dit verhaal aan de slag. Ik wil overmorgen groot openen met jouw artikel.'

'Oké,' zei Lina, die opstond. Ik volgde haar voorbeeld.

Bert Blok keek ons met een triomfantelijke grijns aan en zei: 'Dit wordt een knaller, zeker weten!'

Voordat we naar de parkeerplaats liepen, zocht Lina nog wat documenten in haar bureau.

'Blok lijkt wel erg enthousiast over het materiaal,' zei ik, toen we naar Lina's Fiat wandelden.

'Bij primeurs is Bert altijd op zijn best.'

'Een krant die kan scoren... Dat is de natte droom van elke hoofdredacteur.'

'Vergis je niet, het is niet alleen het scoren dat telt; Bert is er ook echt mee begaan dat de krant dergelijk nieuws integer brengt.'

'Voor die twee getuigen maakt het geen verschil meer.'

'Nee, dat is waar.'

'Al kan het artikel er natuurlijk wel voor zorgen dat andere getuigen beter beschermd worden.'

'En is dat niet een van de belangrijkste functies van de pers: berichten over misstanden? Het is ongelooflijk moedig van die woordvoerster om dit naar buiten te brengen.'

'Het kan die mevrouw Hoogstraten haar baan kosten als ze ooit als lek wordt ontdekt.'

'Ik denk zelfs dat het strafbaar is dat ze ons die informatie heeft gegeven.'

Toen Lina voor de deur van mijn appartement stopte, bleef ik even vertwijfeld zitten. We hadden een paar dagen intensief met elkaar doorgebracht. En er was dat bevreemdende afscheid voor de deur van haar hotelkamer... ik had er plotseling moeite mee om zomaar uit haar wagen te stappen. Ik besefte dat als ik het portier zou dichtslaan, de intimiteit met Lina ook zou verdwijnen. Maar ik wist niet hoe ik het ijs moest breken. Ik kreeg maar geen hoogte van haar. Uiteindelijk draaide ik me naar achter om mijn tas te pakken die op de achterbank lag. Terwijl ik ernaar greep, keek ik naar Lina en vroeg: 'Wil je nog even binnenkomen?'

Ze glimlachte en drukte een vluchtige kus op mijn wang. 'Het wordt een zware dag morgen, Lucas,' zei ze. 'Ik denk dat ik er vanavond maar vroeg induik.'

Ik knikte en stapte uit. Ik sloot het portier te zacht, zodat ik het een tweede keer moest doen. Met mijn tas in de hand bleef ik het Fiatje nastaren tot het om de hoek was verdwenen.

20

B ert Blok had volkomen gelijk: een knaller werd het. Het verhaal werd meteen opgepikt, ook in de buitenlandse pers. Twee dagen later leek Lina plotseling overal. Het begon al 's morgens vroeg toen ik de radio aanzette om naar het ochtendjournaal te luisteren. Ik herkende meteen haar stem. In een kort interview beantwoordde ze vragen over haar onthullingen in De Nieuwskrant. Meteen daarna was ze te gast in het programma dat op het nieuws volgde, samen met een advocaat en een Balkanexpert, voor een uitgebreider gesprek.

Toen ik even later naar een krantenwinkel liep, vulde Lina's sprekende hoofd meer dan levensgroot de verschillende tv-schermen in een brede vitrine van een elektronicazaak. Talking heads, de woorden schoten me ineens te binnen en heel even moest ik denken aan mijn verblijf in de vakantiebungalow in Breskens. Blijkbaar was Lina de vorige avond al geïnterviewd voor het laatavondjournaal van de VRT en toonden de schermen in de winkelpui een loop van het nieuws. Het interview was opgenomen op de redactievloer. Ik herkende Bert Bloks bureau in de achtergrond. Lina zag er moe uit, vond ik, met blauwige wallen onder de ogen. Ik had haar de vorige dag willen bellen, maar had het de hele dag uitgesteld en er uiteindelijk van afgezien. Ergens had ik de vage hoop gekoesterd dat ze mij zou bellen, al was het maar om wat feiten te checken.

In de krantenwinkel kocht ik *De Nieuwskrant*, die de eerste drie pagina's aan de perikelen rond het Joegoslavië-tribunaal besteedde, waarbij de artikelen van Lina een prominente plek innamen. Ook het dagelijkse commentaarstuk van de hoofdredacteur ging erover. *Wie wil nog getuigen?* kopte het artikel. Ik las het als eerste door. Blok was goed op dreef. Uiteraard pakte de krant groot uit met de moord op Jelena Mihajlović en Ivan Lukić, de blunders van de autoriteiten en hun poging om die te verdoezelen. Het merendeel van de informatie kende ik al, maar toch las ik de rest van de stukken met interesse: Lina's artikelen zetten de feiten op een rij en deden de consequenties ervan in begrijpelijke woorden uit de doeken. De kans was zeer groot, zo las ik, dat het proces tegen Vlastimir Pavković weer maar eens zou worden uitgesteld. Ik las ook de begeleidende artikelen die meer achtergrond verschaften over de Kosovo-oorlog en de geschiedenis van het Joegoslavië-tribunaal. Een kaderstuk handelde over het getuigenbeschermingsprogramma en de werking ervan. Intimidaties vormden een groot probleem bij de processen die in de internationale gerechtshoven in Den Haag werden gevoerd. Jelena Mihajlović en Ivan Lukić waren moedige mensen, begreep ik. Het feit dat ze op schuiladressen waren ondergebracht in Nederland, betekende dat ze wellicht al eerder in hun eigen land waren geïntimideerd om hen te beletten te getuigen tegen Vlastimir Pavković, want alleen in extreme gevallen van bedreiging besliste het VN-hof om getuigen een nieuw onderkomen te bezorgen in een van de landen waarmee het daarvoor een overeenkomst had gesloten. Om dan toch door te zetten als getuige moest je ballen hebben, vermoedde ik. Of iemand wel heel erg graag veroordeeld zien worden voor zijn daden uit het verleden. De hamvraag bleef natuurlijk: wie had hen vermoord?

's Avonds probeerde ik Lina op haar gsm te bellen, maar ik

kreeg haar voicemail. Ik aarzelde even of ik een bericht zou inspreken, maar zag ervan af. Ik probeerde de redactie en kreeg Carolien, een van de eindredactrices, aan de lijn.

'Kan ik Lina spreken?' vroeg ik.

'Die is er even tussenuit, Lucas.'

'Is ze met vakantie gegaan?'

'Geen idee. Ze was heel die media-aandacht beu, zei ze. Ook de internationale pers heeft het ondertussen opgepikt. Haar telefoon hield niet op met rinkelen. Ze had er gewoon even genoeg van. Blok had er alle begrip voor.'

'Wanneer is ze terug?'

'Euh... Ik geloof dat ze drie dagen heeft opgenomen. Moet ik een berichtje naar haar mailbox versturen dat je hebt gebeld? Ik vermoed dat ze haar e-mail wel leest.'

'Nee, nee. Dat doe ik zelf wel. Bedankt.'

Maar ik verstuurde geen bericht. Ik belde Wim. Een avond ouderwets doorzakken, daar had ik nu wel zin in.

Ook de volgende dagen waren de vermoorde getuigen van het Joegoslavië-tribunaal voorpaginanieuws. Ik kocht in de krantenwinkel ook andere dagbladen dan *De Nieuwskrant*. Er lekten meer details uit over de wijze waarop medewerkers van het Openbaar Ministerie van het tribunaal hadden getracht de moord op de twee getuigen uit het nieuws te houden. Toen ik in een van de kranten een bericht las over de inbraak bij een 'journalist' van *De Nieuwskrant* waarbij diens laptop en gsm met belastend materiaal waren gestolen, riep ik hardop: 'Feiten checken! Het was *geen* journalist.' Ik schrok toen ik op de radio hoorde dat Mirjam Hoogstraten uit haar functie als woordvoerster van de openbare aanklager was gezet en even was aangehouden op mogelijke verdenking van het lekken van vertrouwelijke informatie. Indien het lek werd bewezen, moest ze voor het tribunaal terechtstaan, omdat ze zich schuldig had gemaakt aan 'minachting van het hof'. Ik vroeg me af hoe het VN-tribunaal zo snel op het spoor van de woordvoerster was gestuit.

Al die dagen bleef ik in de ban van de berichtgeving die Lina in gang had gezet. Voor de pers was het een vette kluif. Onthullingsjournalistiek deed kranten verkopen. Zelf volgde ik het met meer dan gewone belangstelling, omdat ik me min of meer betrokken partij voelde. Buiten het lezen van de kranten en het volgen van het nieuws op de radio, voerde ik die dagen geen klap uit. Maar al die tijd bleef ik een zekere hunkering voelen, een onrustig gevoel waar ik me geen raad mee wist.

Dat verdween meteen toen ik een telefoontje kreeg. Met een brede glimlach las ik de naam van de beller op het schermpje van mijn Nokia.

'Lina!' riep ik veel te luid, zo verheugd was ik dat ze iets van zich liet horen.

'Hé, Lucas. Carolien mailde me dat je had gebeld.'

'Euh... Een paar dagen geleden, ja.'

'Waarvoor belde je?'

'Ik wilde je feliciteren en je uitnodigen om het ergens te gaan vieren. Maar Carolien vertelde me dat je met vakantie was.'

'Sorry, maar ik moest er even van tussen. Het werd me te hectisch. Ik kreeg niets meer uit mijn handen door al die telefoontjes.'

'Ben je nu weer aan het werk?'

'Ja, ik ben op de redactie. Heb je trouwens het nieuws gehoord over die woordvoerster?'

'Op de radio, ja. Hoe kunnen ze dat nu zo snel weten?'

'Geen idee. Maar ik heb hier op de redactie een uitnodiging van de politie gekregen. Wellicht hebben ze een onderzoek geopend en willen ze weten wie mijn bronnen zijn. Ach... ze kunnen het altijd proberen. Ik heb nog even overwogen om jouw naam ook bij de artikelen te vermelden, Lucas; per slot van rekening heb je me goed geholpen. Een geluk dat ik dat uiteindelijk niet heb gedaan.'

'Mijn bijdrage was ook maar gering, Lina. En jij hebt die stukken toch geschreven.'

'Er is nog iets wat ik je moet vertellen...' Ik hoorde hoe ze zachter ging praten. Bijna op fluistertoon zei ze: 'Vanmorgen kreeg ik iemand aan de lijn die me in slecht Engels begon uit te schelden, omdat het proces tegen Pavković door mijn artikelen opnieuw is uitgesteld. Ook al was hij het Engels niet goed meester, hij klonk erg dreigend, moet ik zeggen.'

'Heb je zijn nummer kunnen noteren?'

'Nee, hij belde me thuis op mijn gewone telefoon; die heeft geen nummerherkenning. En wellicht belde hij ook vanuit een cel. Zo dom zijn die idioten niet.'

'Je moet aangifte doen.'

'Ja, dat zullen ze bij de politie graag willen, dat ik nu zelf even bij ze binnenstap. Ach, misschien was het een of andere heetgebakerde Kosovaar. Heel even heb ik eraan gedacht om hem in zijn eigen taal van repliek te dienen, maar gelukkig heb ik me kunnen inhouden. Ik vind het alleen niet prettig dat hij me thuis heeft gebeld.'

'Heb je het tegen Blok verteld?'

'Nee, zolang het bij één telefoontje blijft, kunnen we dit beter tussen ons houden.'

'Oké. Heb je zin om vanavond iets te gaan eten? Dan kunnen we het alsnog vieren.'

'Dat lukt me niet, Lucas. Het is hier te druk. Maar reken maar dat ik die uitnodiging van je tegoed hou.'

21

De volgende morgen opende het radionieuws voor de eerste keer in dagen niet met de perikelen rond het Joegoslavië-tribunaal. Op een parkeerplaats bij een appartement in Antwerpen Zuid was een levenloos lichaam aangetroffen in de koffer van een Volkswagen Golf. Een lijk in een kofferbak, dan denkt iedereen toch spontaan aan de maffia; dat dacht ik, toen ik het bericht in het nieuws van halfacht hoorde. Met de afstandsbediening zette ik het volume luider, maar behalve het feit dat het om een man ging waarvan de politie de identiteit nog niet had kunnen vaststellen, kreeg ik van de nieuwslezer geen verdere details meer te horen. Ik luisterde naar de rest van de berichten – veel aandacht ging naar de reacties van de politieke partijen op het compromisvoorstel dat de koninklijke bemiddelaar had uitgewerkt – tot de presentator een verslag begon voor te lezen over de voetbalwedstrijden van de vorige avond. Toen zette ik de radio uit. Een lijk of een bal, voor een nieuwslezer leek het allemaal gelijk.

Ik schoot in mijn jas en liep naar de badkamer. Daar tilde ik de twee grote plastic tassen met de was van de afgelopen weken op en verliet het appartement. Aan een pleintje, een paar straten verder, bevond zich een wassalon waar ik nu al enkele jaren mijn was deed. Ik vertrouwde de elektrische bedrading in mijn appartement niet – als ik te veel huishoudtoestellen tegelijkertijd gebruikte, wilde de zekering wel eens springen – en ik had daarom nooit een wasmachine gekocht. Toen ik nog bij Krista woonde, was het een van de vele luxes die ik jarenlang ontbeerd had. Je gooide een trui, broek of hemd gewoon in de wasmand en een paar dagen later lag het kledingstuk weer schoon en gestreken op het stapeltje in de kast. Wat was ik daar in dat knusse huis van Krista toch een echte bourgeois geworden. Nooit had ik een televisietoestel bezeten en ik had het ook niet echt als een gemis ervaren, maar toen ik bij Krista was ingetrokken, lag ik bijna elke avond op de bank voor de buis. Sinds ik weer op mezelf woonde, ervoer ik het vreemd genoeg soms als een gemis. Alsof ik als een junk moest afkicken van die stompzinnige beeldbagger. Want was het in feite niet meer dan dat?

Ik vond het niet erg om uit wassen te gaan. Op die manier kwam ik nog eens in de buurt. Niet dat de omgeving zo bruisend of oogstrelend was. Architecturale pareltjes waren hier niet te vinden. Integendeel, er was veel leegstand en de huizen die bewoond werden, waren vaak zo dikwijls verbouwd dat hun aanblik pijn aan de ogen deed. Al moest ik toegeven dat het stadsbestuur zich de laatste tijd veel moeite getroostte om deze verarmde buurt op te waarderen. Pleintjes, parken en stoepen waren opnieuw aangelegd, enkele straten autovrij gemaakt en overal stond er nieuw straatmeubilair. Bovendien was uit wassen gaan ook een sociale aangelegenheid. Je leerde zo wel eens mensen kennen. Ik herinnerde me Sandy, met wie ik na een paar ontmoetingen in de wassalon een onstuimige relatie was begonnen. Ik zag haar die eerste keer het pand nog binnentrippelen: een tenger meisje met een flinke bos krullerig bruinrood haar en een bleek gezicht, maar met heldere ogen waarin een heidens vuur leek te branden. Ze droeg een hele

berg kleren, alsof ze een jaar lang gespaard had voor de was-
beurt. Ik had haar geamuseerd gadegeslagen. Hoe ze onzeker
de kledingstukken begon te sorteren, wit en bont door elkaar.
Ik had haar aangeboden te helpen en het was erop neergeko-
men dat ik haar hele was had gedaan, tot en met het drogen
en opvouwen toe. Ondertussen had ze honderduit verteld over
de carrière die ze wilde maken als zangeres. Ze was zelfs spontaan beginnen te zingen – Fever, een nummer van Peggy Lee,
dat ik meteen herkende – en boven het geronk van de wasma-
chines uit had haar stem nog verduiveld goed geklonken ook:
When you put your arms around me, I get a fever that's so hard to bear.
Vreemd toch dat er mensen zijn die je je hele leven bijblijven,
ook al heb je ze maar enkele maanden, of zelfs dagen gekend.
Veel langer dan enkele weken had onze verhouding immers
niet geduurd. Sandy was op die leeftijd te ongedurig voor een
relatie en bovendien een vat vol tegenstrijdigheden waarvan ik
het op mijn heupen had gekregen: de ene dag een en al adrenaline – Fever I'm afire –, en de volgende dag niet uit bed te branden. Dan wilde ze dat ik samen met haar van 's morgens vroeg
tot 's avonds laat in de slaapkamer doorbracht met de gordijnen
dicht, de ruimte verlicht met theelichtjes en zoveel wierook
brandend dat ik de stank uiteindelijk was ontvlucht, wat tot
een scène leidde ('Nee, Sandy, ik hou niet van theelichtjes, niet
van wierook en ook niet van jou.'). Nu ik aan haar terugdacht,
deed heel haar voorkomen me sterk aan Lina denken, al had
die in vergelijking met Sandy blijkbaar wat langer in het adre-
nalinebad gelegen.

In de wassalon was het niet druk. Ik knikte vriendelijk naar
een vrouw die op een bank zat en de haren van haar jonge
dochter in minuscule vlechtjes aan het draaien was, een karwei
dat nog wel een tijdje zou duren. Ik stouwde twee machines
vol met wasgoed, vulde het bakje met poeder en verzachter,

stopte er munten in en koos het programma. Ik controleerde nog even of de machines ook werkten en verliet de wasserette. Aan de overkant van het pleintje kocht ik bij een krantenboer *De Nieuwskrant*. Ik was nieuwsgierig of ze al een bericht hadden over het lijk in de auto. Weer terug in de wassalon installeerde ik me naast de vrouw op de bank, die nog steeds bezig was met vlechtjes draaien, en las ik de krant. Af en toe hoorde ik het kleine meisje 'Auw!' roepen als de moeder blijkbaar wat al te hardhandig aan het stugge kroeshaar trok. In de krant vond ik geen bericht, wat betekende dat het lijk nog maar pas gevonden was. Blij dat ik een reden had om haar te bellen, nam ik mijn gsm en koos het nummer van de redactie. Het duurde even voor ik met Lina werd doorverbonden.

'Goh, Lucas!' zei ze. 'Veel details hebben we nog niet.' Ze klonk gejaagd, vond ik. Wellicht zat ze midden in een artikel en was ze geïrriteerd omdat ik haar stoorde. 'De auto waarin het lichaam is aangetroffen stond al een paar dagen op een parkeerplaats van een appartementsblok ergens bij het Zuid. Een Volkswagen Golf, met een Duitse nummerplaat. Er hing een onfrisse geur in de buurt die steeds nadrukkelijker werd, tot de stank zo onverdraaglijk was dat een buurtbewoner de politie heeft gebeld. Het slachtoffer lag in foetushouding in de kofferbak en was helemaal naakt.'

Ik probeerde me het beeld voor te stellen: een man als een ongeboren kind in de koffer van een auto. De moderne mens ten voeten uit: het enige wat nog ontbrak was de brandstofslang van de benzinepomp als navelstreng. Maar dit was geen boreling, dit was een lijk.

'Weten ze al wie het is?'

'Nee, ze hebben de man nog niet kunnen identificeren.'

'En is er iets bekend over de dader of daders?'

'Dat is nog onduidelijk, maar wat ik gehoord heb is dat de

politie uitgaat van een afrekening in het criminele milieu. Sorry, Lucas, maar ik heb een deadline en moet absoluut verder hier.'

Lina had al opgehangen nog voor ik afscheid kon nemen.

De vrouw had haar wasgoed verzameld en verliet het pand met een volle mand onder haar arm. Het kind, met een kapsel van ragfijne vlechtjes nu, dribbelde achter haar aan. Ik knipoogde naar het kleine meisje, dat haar gezicht meteen van me wegdraaide terwijl ze haar ranke lichaampje tegen haar moeders zij drukte. Die schudde even haar hoofd voor dat kinderlijke gefleem. Ik volgde hen nog even met mijn ogen terwijl ze de straat overstaken. Alleen in de wasserette keek ik met mijn armen steunend op mijn knieën naar de hypnotiserende beweging waarmee mijn wasgoed in de twee machines ronddraaide. Wat was dat toch met de wereld? Enkele dagen geleden nog maar had ik met ontzetting zitten luisteren naar verhalen over wreedheden die mensen hadden begaan op hooguit duizend kilometer hiervandaan. Verhalen die ik met moeite had kunnen bevatten, die ik nauwelijks had willen geloven. In amper een paar weken tijd wist ik van drie mensen die op een afschuwelijke manier om het leven waren gebracht. Een dun laagje, meer was het niet, onze beschaving. En dan wilde dat kleine meisje me zelfs niet eens een glimlach terugschenken...

22

Twee dagen na het telefoontje met Lina hing inspecteur Kuipers vroeg in de morgen aan de lijn. Het aanhoudende gerinkel van de telefoon in de woonkamer had me uit een droom weggerukt. Iemand wilde me wel heel erg graag spreken, dat maakte ik op uit het feit dat de telefoon maar bleef overgaan. Slaapdronken liep ik de trap af naar beneden, de persoon vervloekend die me zo vroeg durfde te bellen.

'Lucas, we hebben één van de twee museumdieven dood teruggevonden.'

Half versuft hield ik het toestel tegen mijn oor. Het duurde even voor mijn hersens de juiste verbindingen legden en ik wist waarover Kuipers het had. 'Het lijk in de kofferbak?' vroeg ik uiteindelijk.

'Ja.'

'Hoe weten jullie dat het om de museumdief gaat?'

'Jouw schets was blijkbaar erg precies. De agent die de auto heeft geopend, zag het vrijwel meteen. Er waren de afgelopen dagen trouwens al heel wat tips binnengekomen van mensen die op basis van de robotfoto's meenden de dieven te hebben gezien.'

'Hier in de buurt?'

'Ja, blijkbaar hielden ze zich ergens in het Antwerpse op.

Wie weet waren ze een nieuwe inbraak aan het voorbereiden. Na de vondst van het lijk hebben we twee dagen lang de hele buurt uitgekamd, op zoek naar mogelijke getuigen. Uiteindelijk hebben we een buurtbewoner gevonden die heeft gezien hoe iemand de wagen parkeerde waarin het lijk is aangetroffen. De man wilde aanvankelijk niet getuigen, maar we hebben hem beloofd dat hij enkel zijn verhaal hoeft te doen, zodat we een robotfoto kunnen maken. De man is moeilijk ter been en wil niet naar het politiekantoor komen. Hij heeft ermee ingestemd dat we die tekening bij hem thuis maken. Heb jij nu even tijd? Dan kom ik je hoogstpersoonlijk oppikken en rijden we ernaartoe?'

'Geen probleem. Ik had niets gepland vandaag.'

Twintig minuten later zat ik met mijn koffertje op mijn knieen in Gerard Kuipers' Audi en reden we over de Binnensingel.

'Waar was het ook weer dat jullie die auto hebben gevonden?'

'Op het Zuid. Hij stond geparkeerd voor een van de Silvertoptorens.'

'Een lijk in een kofferbak, zoiets verwacht je toch eerder in het zuiden van Italië.'

'Mijn theorie is dat de dader of daders wilden dat het lichaam werd gevonden. Als een soort visitekaartje. Daarom stond de auto ook op de parkeerplaats bij die woontorens, volgens mij. Daar is veel geloop.'

'Vreemde zakenmensen, die dat soort visitekaartjes uitwisselen. En voor wie was dat naamkaartje dan bedoeld?'

'Veel kan en mag ik je nog niet vertellen, Lucas, behalve dat de man koelbloedig is afgemaakt. Eén kogel in het voorhoofd.'

'En zijn medeplichtige?'

'Daar is geen spoor van. Net zo min als van het schilderij. Wat we door de vingerafdrukken wel weten, is dat het gaat om een Serviër die bij de politie bekend stond: een kleine inbreker, die deel uitmaakte van een bende die opereerde vanuit Duitsland. Ze plegen herhaaldelijk diefstallen in deze regio. Door de Europese eenmaking is dat soort bendes uit de Balkan hier erg actief. Ze kiezen hun doelen, breken in en springen zo weer de grens over, zodat het voor ons erg moeilijk is om ze te vatten. Het zijn gevaarlijke types die voor niets terugdeinzen. Maar zo drastisch als met deze museumdiefstal zijn ze bij mijn weten nog nooit te werk gegaan.'

'Waarom is hij vermoord?'

'We tasten nog in het duister. Maar als je het mij vraagt is het een afrekening in het criminele milieu. Een kogel recht door het voorhoofd, dan weet ik het wel... Vermoedelijk wilde hij te veel en is hij naast zijn schoenen gaan lopen. Een kruimeldief die meent een grote slag te kunnen slaan en die te overmoedig is geworden. We zien dat wel vaker gebeuren...'

'En de auto? Is dat een spoor? Het was een Duitse nummerplaat, hoorde ik.'

'Het voertuig stond geseind als gestolen. De eigenaar is een vrouw uit Hamburg.'

'Die zal haar auto wel niet terugwillen met die lijkengeur. Ze zeggen dat die penetrante lucht nooit verdwijnt, hoe vaak je het interieur ook reinigt.'

'Ach, dat noemen wij een *urban legend*, een broodjeaapverhaal zoals ze in Nederland zeggen. Er zijn bedrijven zat die dat voor je kunnen doen.'

'Ik zou mijn wagen toch verkopen, denk ik, als ik wist dat er een lijk in had gelegen.'

Het appartementsblok waar we naar op weg waren, was een van de drie hoge flatgebouwen die ik in de verte samen met enkele bouwkranen boven de huizen zag uittorenen. De torens lagen in een wijk met veel hoogbouw aan de rand van Antwerpen en werden momenteel grondig gerenoveerd. Twee van de drie woontorens waren al helemaal opgeknapt. Een opvallende blauwe en een rode koepel boven op de gebouwen trokken de aandacht. De andere toren was volledig uitgekleed tot op de betonstructuur. Het ruwe, raamloze skelet deed me denken aan een gebouw dat tijdens een oorlog zwaar getroffen was door een mortierinslag.

'Ik heb Krista meteen laten weten dat we een van de dieven dood hebben gevonden,' zei Kuipers. 'Zo hoefde ze het niet via de radio of tv te vernemen.'

'En hoe nam ze het op?'

'Ze was wel onder de indruk, omdat het de man was die haar met het pistool heeft bedreigd.'

'Ik denk dat zoiets je een leven lang bijblijft.'

'Voor sommige mensen is het een traumatische ervaring, maar ik denk dat Krista er wel mee overweg kan.'

We stonden stil voor een verkeerslicht.

'Ik heb haar een paar dagen geleden nog bij me thuis op bezoek gehad,' zei Kuipers.

'Oh?'

'Ik had haar uitgenodigd om een nieuw schilderij te bekijken dat ik op een veiling heb gekocht.'

'Iets bijzonders?'

'Ja, een klein werkje van Jenny Montigny, een Vlaamse impressionist uit het begin van de vorige eeuw.'

'Nooit van gehoord.'

'Een leerlinge van Emile Claus, met wie ze trouwens ook een verhouding had. Krista vond het als schilderij niet zo geslaagd, maar ze stelde wel vast dat het doek nog in erg goede staat was.'

Ik deed er het zwijgen toe. Ik wist niet waarom de inspecteur me dit vertelde. Zo intiem waren we niet.

Kuipers keek opzij. 'Ik heb de indruk dat ze het moeilijk heeft met jullie breuk.'

'Heeft ze je dat verteld?'

'Nee, niet met zoveel woorden.'

Het verkeerslicht sprong op groen en we reden verder.

'Maar ik ben het vanuit mijn beroep gewend om te luisteren en ik ken haar ondertussen goed genoeg om te weten dat ze niet de oude is.'

'Zíj vond het anders beter om er een punt achter te zetten.'

'Ze reageert vaak nogal impulsief.'

'Dat moet je mij niet vertellen.'

'Bel haar eens, Lucas.'

Ik knikte, maar ik wist dat ik het voorlopig niet zou doen. Het was vreemd, maar de laatste dagen had ik geen moment aan haar gedacht.

Kuipers stuurde de wagen de parkeerplaats van het eerste appartementsgebouw op. We stapten uit en ik keek langs de gevel omhoog. De flatgebouwen die helemaal waren opgeknapt, zagen er met de kleuraccenten een stuk frivoler uit dan het grijs van hun betonnen buur. Toch kon ik het me niet voorstellen hier dagelijks de lift te moeten nemen naar een van de verdiepingen. Het had iets van je opsluiten in een grote kooi, vond ik. Met mijn koffertje volgde ik Kuipers, die naar de entree van het eerste gebouw liep. Daar zocht de inspecteur even tussen de namen op de lijst met bewoners en duwde hij vervolgens op een belknop. Ik hoorde een mannenstem iets door een intercom brommen.

'We moeten naar de twaalfde verdieping,' zei Kuipers.

We stapten in de lift.

'Ze hebben hier een prachtige renovatie gerealiseerd,' zei Kuipers. 'Het was vroeger geen cadeau om hier te wonen. Kleine appartementen, donkere gangen en veel tocht. Heel wat appartementen stonden vroeger trouwens leeg, omdat ze te veel last hadden van vocht.'

'Toch wel vreemd dat iemand op de twaalfde verdieping een verdachte heeft opgemerkt, niet? Als hij in staat is het gezicht gedetailleerd te beschrijven, moet die man arendsogen hebben.'

'Dat zullen we meteen weten,' zei de inspecteur.

We stapten uit en Kuipers liep de gang in, terwijl hij de nummers van de appartementen bekeek. Ik volgde de inspecteur. Het rook hier zoals overal in het gebouw naar nieuw: een complexe geurenmix van metselwerk, gips, hout, plamuur en verf. Alsof alles nog aan het drogen was. Bij een van de appartementen stond de deur op een kier. Kuipers klopte aan en liep meteen naar binnen.

'Meneer Mortelmans, dank dat u ons zo snel kon ontvangen. Ik ben inspecteur Kuipers en dit is meneer Grimmer. Hij zal de schets maken.'

Ik volgde Kuipers over de drempel. Hoe nieuw het in het hele appartementsgebouw ook rook, hier in deze flat hing onmiskenbaar een oudemannengeur. In de kamer zag ik iemand moeizaam uit een oude leunstoel overeind komen om ons te begroeten. De man steunde met een hand op de leuning van de fauteuil toen hij ons een hand gaf. Die trilde een beetje. Ik schatte Mortelmans een jaar of zeventig. Hij had nog een volle kop haar dat helemaal grijs was. Zijn gezicht was erg gerimpeld.

'Jicht,' zei hij, alsof dat woord voldoende verklaring bood voor zijn moeizame bewegen.

Ik keek de kamer rond. Aan de muren hingen enkele lijsten met daarin foto's van schepen. Ook hing er boven een eiken dressoir een groot schilderij met een zeegezicht. Op het meubel lag op een houten sokkel een fles met daarin de miniatuur van een driemaster.

'Die jaren op zee gaan in je knoken zitten,' zei de man. 'Ik heb de lange omvaart gedaan.'

Bij het venster zag ik een verrekijker op een statief staan. Ernaast stond een stoel. Ik begreep meteen hoe de man de verdachte had gespot.

'Mag ik?' vroeg Kuipers, die ernaartoe liep.

'Ga uw gang,' zei Mortelmans, die nog steeds op de fauteuil leunde.

Kuipers drukte zijn oog tegen de verrekijker.

'Ik kijk ermee naar de sterren. Als je jarenlang vanaf een dek naar de hemel hebt gestaard, is het niet eenvoudig om te wennen aan een appartement. Ik mis de weidse blik.'

'U hebt hier anders een mooi uitzicht,' zei ik.

Het raam bood een breed panoramisch zicht op de stad die onder een grijs wolkendek lag, met in de verte een horizon gehuld in smog. Ik herkende de kathedraal en de Boerentoren.

Kuipers keek op. 'Hebt u met deze verrekijker de verdachte gezien?'

'Nee,' zei de man. 'Daarmee kijk ik naar de sterrenhemel. Ik heb nog een binoculair.' Hij bukte zich moeizaam en nam iets uit een rieten mand die naast de fauteuil stond. Het leek een eeuwigheid te duren voor hij weer recht stond en ons de verrekijker, een fors legergroen model, toonde. 'Hiermee kijk ik wel eens de omgeving rond. Zo heb ik het gevoel dat ik toch een beetje tussen de mensen leef.'

'U loert toch niet bij de buren binnen, meneer Mortelmans,' zei Kuipers en hij keek gemaakt boos. 'Dat is niet netjes.'

'Nee, nee, inspecteur. Ik hou van hieruit een oogje in het zeil.' Hij lachte. 'Zoals in een arendsnest.' De man schuifelde met de verrekijker in zijn hand naar de tafel. 'Ik bel wel eens naar de politie als ik verdachte dingen zie. Er wonen hier veel vreemdelingen en vooral de jongeren kunnen het soms bont maken. Dat hangt hier rond alsof alles van hen is en ze vallen de mensen weleens lastig. Laatst hebben ze nog een vuurtje gestookt in de toren die ze nu gaan renoveren. 't Is dat hij al helemaal uitgekleed was of dat zou een regelrechte ramp geweest zijn. Het is de verveling; die gasten hebben niets om handen. Ze zouden ze beter een jaartje naar zee kunnen sturen. Geloof me, ze zouden wel anders piepen.'

Kuipers knipoogde even naar me. 'Zullen we dan nu maar die schets maken?'

De man ging aan tafel zitten, met de verrekijker voor zich. Ik nam plaats op de stoel naast hem en opende mijn koffertje. 'Vertelt u maar eens hoe de man eruitzag die de auto hier heeft geparkeerd.'

'U gaat er blijkbaar meteen vanuit dat het een man was,' zei Mortelmans. 'Dat weet ik zo zeker nog niet.'

'Hoezo?' vroeg Kuipers.

'De persoon die de auto beneden op de parkeerplaats heeft achtergelaten droeg een regenpak. Daardoor kon ik niet zo goed zien of het een man of vrouw was.'

'Het regende dus die dag?'

'Dat is nu het rare,' zei Mortelmans. 'Er viel die morgen geen druppeltje.'

'Hmm...' zei de inspecteur. 'Het was dus 's morgens.'

'Ja, dat heb ik al tegen de agenten gezegd die me kwamen ondervragen. Ik ben altijd vroeg wakker. Ik heb niet zoveel slaap nodig. Dat kwam me op die schepen wel goed van pas. Of misschien heb ik het daar wel geleerd.'

'Die persoon droeg dus een regenkap,' zei ik. De tekenspullen had ik inmiddels uitgepakt en ik zat klaar met een potlood. 'Laten we daarmee beginnen.'

'Het was geen zuidwester, zoals wij die op de omvaart dragen, maar zo'n model dat vast om het gezicht sloot. Je weet wel, dat je met twee touwtjes strak kunt aantrekken. Daarom was het ook niet goed te zien of het een man of vrouw was. Zonder kapsel is dat moeilijk vast te stellen.'

'En dat kon je niet aan de kleding zien?'

'Ik heb die persoon maar even gezien. Maar dat regenpak viel heel ruim. Hij of zij droeg trouwens van die legerlaarzen.'

'Maar het gezicht hebt u toch wel gezien?' vroeg ik.

'Ja, doordat het zo omsloten was door die regenkap is het me bijgebleven. En ook door de bril, een ouderwets model met een zwaar montuur. Kijk, als het een man was, dan toch een jonge kerel. Zoals die gasten die hier rondhangen. Een beetje een babyface. Daarom denk ik dat het ook wel een vrouw zou kunnen zijn.'

'Laten we maar beginnen,' zei ik.

Terwijl ik aan de tekening werkte, keek de inspecteur met de verrekijker, die hij van de tafel had genomen, door het raam. Het tekenen duurde lang, omdat de oude man steeds weer aarzelde.

'Nee, die neus was toch wat smaller volgens mij.'

Ik toonde geduld. Even overwoog ik om opnieuw te beginnen toen de man maar bleef aarzelen over de vorm van de mond en de dikte van de bovenlip. Ik kreeg opeens een idee.

'Wilt u niet even door de verrekijker kijken, meneer Mortelmans? Misschien herinnert u zich op die manier het gezicht beter.'

'Bij het raam?'

'Ja, waarom niet?'

Mortelmans stond moeizaam op en schuifelde behoedzaam naar het venster waar Kuipers hem de kijker overhandigde. De oude man staarde door de verrekijker naar de parkeerplaats, terwijl ik vragen bleef stellen. Het leek een geslaagd experiment, want toen ik na nog enkele gerichte vragen en kleine wijzigingen Mortelmans de schets voor de zoveelste keer toonde, knikte die en zei: 'Ja, zo zag die persoon er volgens mij wel uit.'

'Hij heeft dus de auto daar gewoon geparkeerd, is uitgestapt en weggewandeld?' vroeg Kuipers, die naast hem door het raam stond te kijken.

'Ja, ik had het mij niet eens herinnerd, als die agenten mij er niet naar waren komen vragen.'

'Heb je ook gezien waar die persoon naartoe is gewandeld?'

'Gewoon de parkeerplaats af. Ik ben dat figuur niet blijven volgen. Wie zou ook ooit denken dat er een lijk in die wagen lag? Geloof me, had ik dat geweten, dan had ik jullie wel gebeld.'

23

In de auto bekeek de inspecteur de tekening langdurig. 'Ik weet niet of dit veel gaat opleveren,' zei hij en hij schudde zijn hoofd. 'Door die regenkap is het wel een beetje een raar gezicht. Ik vraag me af hoe betrouwbaar het geheugen van die oude zeeman is.'

'Het is niet mijn sterkste robotfoto, dat geef ik toe. Zo zonder haren en oren kan het iedereen zijn, al moet een figuur met zo'n bril mensen toch opvallen. Het portret doet me wel eerder denken aan een jonge knaap of vrouw dan aan een man.'

'Toch lijkt het me sterk,' zei Kuipers die de Audi startte.

'Waarom zou het geen vrouw kunnen zijn?'

'Door de manier waarop de moord is gepleegd. Een kogel door het voorhoofd... Noem me ouderwets, maar dit is in mijn ogen de daad van een man. Bovendien, til maar eens zo'n dood lichaam in de koffer van een auto.'

'De chauffeur hoeft natuurlijk niet noodzakelijk de moordenaar te zijn.'

'Nee, hij... of zij... kan ook een handlanger zijn.'

Net toen we de parkeerplaats afreden, klonk er een bericht door de politieradio.

'Een patrouille heeft mogelijk de tweede verdachte van de diefstal in het Museum Mayer van den Bergh gespot,' hoorde ik een vrouw zeggen.

'Waar?' vroeg Kuipers.

'Op het Eilandje. Ze zijn de man gevolgd en vragen assistentie bij de arrestatie. Hij is een café binnengestapt in de buurt van de Londenbrug.'

'Ik rijd ernaartoe,' zei Kuipers, die het gaspedaal intrapte. 'Laat ze voorlopig niets ondernemen.'

Terwijl we met hoge snelheid voorbij het nieuwe Justitiepaleis reden, kreeg Kuipers het adres van het café doorgespeeld. De inspecteur draaide de De Gerlachekaai op en ik klemde mijn hand in de beugel boven het portier, toen de Audi met een rotvaart over de kaaien reed, in de richting van het havengebied.

'Je zou toch verwachten dat die man inmiddels zijn biezen heeft gepakt,' zei ik.

'Het is duidelijk dat hij hier nog zaken te regelen heeft,' zei Kuipers, die fors moest remmen voor enkele mensen op een zebrapad.

Ik sloeg met een ruk naar voren, het kistje met het tekenmateriaal schoof van mijn knieën op de vloermat, maar mijn lichaam werd door de stop van het gordelmechanisme tegengehouden. Terwijl ik de kist opraapte, trok de Audi weer op.

'Misschien heeft hij wel een hand in de moord op zijn kompaan,' zei Kuipers. 'Dan kan het ook tactiek zijn natuurlijk: in het hol van de leeuw word je het minst verwacht.'

'Hij is in ieder geval niet de chauffeur van de Volkswagen. Want als ik me de schets goed herinner, heeft hij niet bepaald een babyface.'

'Nee,' zei Kuipers. 'Volgens jou had de man een echte boeventronie.'

'En jij had goed gezien dat het Slavische types waren.'

Even later reden we langs de dokken. De inspecteur schakelde terug en de Audi vertraagde.

'Er ligt daar een map op de achterbank,' zei hij. 'Kun je die even pakken?'

Ik reikte naar achter, maar ik zag geen map liggen. Blijkbaar was ze door het bruuske remmanoeuvre van de bank op de vloer geschoven. Er lag een heel stapeltje. Ik verzamelde de mappen en legde ze op de kist op mijn knieën. Ze hadden verschillende kleuren.

'In de blauwe map zit een kopie van de robotfoto's. Kun je die eruit halen? We moeten toch min of meer zeker zijn dat het onze man is.'

Ik opende het mapje en tussen de papieren vond ik kopieën van de drie robottekeningen die ik had gemaakt aan de hand van de verklaringen van de museumsuppoost en van Krista. Ik bekeek ze en gruwde bij de gedachte dat één van beide mannen dood was. Het was de man met de snor die we hier kwamen zoeken. Ik gaf de robotfoto aan de inspecteur die hem vluchtig bekeek, oprolde en in zijn binnenzak stak.

In de buurt van de Londenbrug parkeerde Kuipers de Audi. We stapten uit en liepen te voet in de richting van het café. Aan de overzijde stond een gebouw in de steigers en de inspecteur liep op een bouwkeet af die wat verderop stond opgesteld. Achter de wagen stonden twee mannen die knikten toen de inspecteur hen aansprak.

'Hij zit nog steeds binnen,' zei een van de agenten in burger. 'Hij had er blijkbaar een afspraak met een vrouw.'

Ik dacht meteen aan de schets die ik daarnet bij de oude zeeman had gemaakt. Ik keek naar Kuipers, maar die negeerde me.

'Ze zitten achter in de zaak,' zei de agent. 'Er is nogal wat volk. Veel mensen uit de kantoren in de buurt komen hier hun lunch gebruiken.'

'Daarom heeft hij wellicht ook dit café gekozen,' zei Kuipers. 'Laten we wachten tot hij het café verlaat. Hebben jullie gecontroleerd of er achter in het pand nog een uitgang is?'

'Nee.'

'Ga dan naar de straat achter het gebouw en roep versterking op.'

De agent sprak kort in zijn portofoon en wandelde toen van ons weg.

'Jullie zijn er zeker van dat hij het is?' vroeg Kuipers aan zijn collega.

'Hij heeft zijn snor afgeschoren en zijn haar is gemillimeterd, maar toch weet ik zeker dat hij het is. Het zijn de ogen met daarboven die borstelige wenkbrauwen...'

Ik probeerde de man te spotten, maar door de drukte in het café zag ik hem niet zitten. Ik voelde een zekere spanning. Stel dat de man die daar in dat café zat, had afgerekend met zijn collega van de schilderijdiefstal en hem in de koffer van een auto had achtergelaten, dan hadden we hier toch te maken met een moordenaar. Inspecteur Kuipers en de agent leken er ijzig kalm onder te blijven. Af en toe keken ze naar het café.

Een vijftal minuten verstreken.

'Mijn collega meldt me dat de versterking is aangekomen,' zei de agent.

'Goed,' zei Kuipers.

Een arbeider met een gele veiligheidshelm op zijn hoofd wilde de bouwkeet binnenstappen, maar bleef staan en monsterde ons. Het was duidelijk dat hij het zaakje niet vertrouwde. Net toen hij op ons wilde toestappen, haalde inspecteur Kuipers zijn badge tevoorschijn en toonde hij ze kort aan de man.

'Politiezaken.'

De arbeider knikte met ontzag, draaide zich om en stapte de keet binnen.

Toen enkele mensen het café verlieten, zag ik de man zitten. Hij was druk in gesprek met een forse, wat gedrongen vrouw die tegenover hem zat en die een stuk taart at. Blijkbaar zaten ze aan het dessert. De vrouw luisterde aandachtig naar de man, terwijl ze kleine hapjes van het gebak in haar mond stak. Even later zag ik beiden opstaan en naar de toog lopen.

'Verdachte kan elk moment naar buiten stappen,' fluisterde Kuipers in zijn portofoon. Hij keek naar mij en leek zich nu pas bewust te zijn van mijn aanwezigheid. 'Jij blijft hier,' zei hij.

Samen met de agent liep de inspecteur naar de overzijde. Ik zag de man de deur van het café openen. Kuipers en de agent stonden een tiental meter verder met elkaar te babbelen, alsof ze zakenmannen waren die nog even overleg pleegden voor ze ieder hun eigen weg gingen. Maar toen de man het trottoir opstapte, liepen ze naar hem toe en hielden hem staande, terwijl de inspecteur zijn badge toonde. De man probeerde zich nog even los te rukken, maar voor hij goed en wel besefte wat hem overkwam, had de agent hem al geboeid. Toen de vrouw, die het café inmiddels ook had verlaten, zag hoe de man gearresteerd werd, begon ze luid te schreeuwen. Ze krijste op hoog volume zinnen in een taal die ik niet verstond. De inspecteur en de agent leken het niet te horen; onverstoorbaar liepen ze met de gearresteerde man tussen hen in de straat uit, in de richting van de Audi. Ik verliet mijn schuilplaats en liep naar hen toe. Op de stoep stond de vrouw nog steeds luid en nog even onverstaanbaar te schelden. Enkele voorbijgangers liepen met een boog om haar heen. Een politieauto kwam de hoek omgereden en de collega van de agent in burger stapte uit.

'Neem hem maar mee,' zei Kuipers. 'En misschien moeten we haar,' hij wees naar de vrouw, 'ook maar arresteren. God, wat een kabaal maakt dat mens!' Tegen een van de agenten die ook was uitgestapt, zei hij: 'Loop er even naartoe, wil je? Dan houdt ze hopelijk haar klep.'

Nog voor de agent de straat was overgestoken, had de vrouw

zich al omgedraaid. Op haar korte beentjes dribbelde ze met snelle pasjes weg. Een vliegensvlug wegwaggelende eend, daar leek ze op, vond ik. Het was best een komisch zicht en ik hoorde luid gegniffel naast me. De politieman, die op haar was afgestapt, bleef staan en keek glimlachend om, zijn handen vragend opgeheven. Kuipers gebaarde dat hij achter haar aan moest gaan en de agent trok een spurtje. Toen hij de vrouw tot staan had gebracht, sloeg hij een arm om haar schouder en leidde haar naar de politieauto's.

'Met haar figuur is het nog een erg kwieke tante,' zei Kuipers en hij draaide zich naar de politiemannen. 'Laten we gaan.'

Een van de agenten in burger liet de vrouw plaatsnemen op de achterbank van zijn voertuig. De andere agenten stapten in het politiebusje waarin de gearresteerde man zat opgesloten.

Inspecteur Kuipers liep naar zijn auto. 'Als je wilt kun je met mij meerijden, Lucas. Ik kan je alleen niet thuis afzetten. Ik moet meteen naar het bureau.'

'Graag. Er rijden hier immers geen trams.'

In de Audi volgden we de politieauto's die met zwaailicht en loeiende sirene de stad inreden.

'Dit wordt tolkenwerk,' zei Kuipers. 'En wellicht een lastig verhoor. Mijn ervaring is dat die gasten zwijgen als het graf.'

Via de intercom op het dashboard vroeg de inspecteur om een tolk op te roepen. 'En ik wil ook dat jullie een line-up organiseren om de getuigen met de verdachte te confronteren. Laat iemand nú naar de beide musea rijden om de twee getuigen op te pikken.'

Even later kregen we het bericht door dat het met de confrontatie wel goed kwam, maar dat er op korte termijn geen tolk ter beschikking was. Wellicht lukte dat pas tegen morgenmiddag.

De inspecteur vloekte. 'Dan weten zijn kompanen al lang en breed dat hij is opgepakt.'

'Wees er maar zeker van dat ze dat nu al weten. Zoals die vrouw daar stond te schreeuwen...'

'Dat zou best eens kunnen. Maar de eerste uren na een arrestatie zijn enorm belangrijk als je een zaak wilt oplossen.'

We reden de parkeerplaats op bij de politietoren.

'Ik ken misschien wel iemand die kan tolken,' zei ik. 'Een collega die afkomstig is van de Balkan.'

'En die is nu meteen beschikbaar?'

'Ik kan haar altijd even bellen. Ik moet er wel bij vertellen dat ze journalist is. Ze werkt voor *De Nieuwskrant*.'

'Hmm... Een journalist, zeg je... ik weet niet of dat zo'n goed idee is.' De inspecteur dacht even na. 'Maar als we goede afspraken maken, moet dat kunnen. Bel haar.'

Ik belde Lina op haar mobiele telefoon.

'Lucas, wat voor nieuws?'

Ik schetste kort de arrestatie. 'Ze zoeken hier dus iemand die op korte termijn kan tolken. Ik weet niet of jij nu tijd hebt?' Ik wist dat ik het niet eens hoefde te vragen.

'Wat dacht je, Lucas? Ik regel het meteen met Bert.'

'Ze zoeken wel een tólk, Lina, en geen journaliste. Reken er maar niet op dat je met het verhaal iets kunt doen.'

'Misschien niet meteen...' Ik hoorde haar hakken tikken op de redactievloer en zag haar in mijn verbeelding met grote vaart op Bloks bureau afstevenen. 'Maar zo'n ervaring wil ik voor geen geld van de wereld missen. Zeg maar dat ik er binnen een klein halfuur ben.'

'Oké.'

Ik keek naar de inspecteur. 'Ze is onderweg.'

'Mooi,' zei Kuipers en hij liep naar de entree.

24

Een halfuur later stond ik samen met de inspecteur in een klein kamertje te wachten op de twee getuigen. Het kamertje rook niet al te fris – de geur deed me denken aan een slaapkamer die een paar dagen niet was gelucht. Net als Kuipers keek ik door een ruit de verhoorruimte in, waar een zestal mannen naast elkaar stonden opgesteld. In de rij herkende ik de verdachte. Alle mannen hielden hun armen op de rug en keken strak voor zich uit. Ik wist dat ze mij niet konden zien, al vermoedden ze wellicht wel dat ze nu door het spiegelende glas bekeken werden. Had immers niet iedereen op tv in een film of een feuilleton wel eens een line-up gezien? Ik vroeg me af hoe de politie zo snel die andere vijf mannen had weten op te trommelen voor de confrontatie. Maar misschien waren het gewoon agenten. Ze zagen er in ieder geval even boefachtig uit als de verdachte. Toen er op de deur van het kamertje werd geklopt, ging Kuipers opendoen.

'We doen dit een voor een,' zei hij tegen iemand in de gang.

Een agente kwam binnen met de vrouwelijke museumsuppoost, die me herkende en vriendelijk naar me knikte.

Kuipers vroeg haar om zich achter het glas op te stellen. 'Een van de mannen die je daar ziet, maakte deel uit van het duo dat het schilderij heeft gestolen,' zei hij. 'Neem rustig je tijd en vertel ons dan wie van de zes het volgens jou is.'

'Nummer twee,' zei ze bijna meteen. 'Zonder enige twijfel.'

'Van rechts geteld?' vroeg de inspecteur.

'Ja, dat is de man.'

'Oké, bedankt dat je zo snel kon komen. Een van onze mensen zal je weer terugbrengen.'

Tegen de agente die met de suppoost het kamertje verliet, zei Kuipers: 'Laat de volgende maar binnen.'

Krista droeg een rood mantelpakje dat haar goed stond, vond ik. Ze leek flink afgevallen. Ik zag de verrassing op haar gezicht toen ze me herkende.

'Wat doe jij hier, Lucas?' vroeg ze.

'Dat is een heel verhaal,' zei ik en ik nam haar ongegeneerd op. 'Je ziet er goed uit.'

Ze glimlachte. Wat ongemakkelijk stonden we tegenover elkaar, tot Kuipers ons uit ons lijden verloste door Krista te vragen naar de line-up te kijken en de verdachte aan te duiden. Ook nu weer zei hij: 'Neem je tijd.'

Krista deed er langer over dan haar collega. 'Ik weet wel zeker dat de overvaller een snor had,' zei ze aarzelend. 'Maar geen van deze mannen...' Ze zweeg abrupt en wees. 'Dat is hem!'

'Weet je het zeker?' vroeg Kuipers. 'Wil je dat ik de rij een kwart laat draaien zodat je de mannen ook in profiel kunt bekijken?'

Krista schudde haar hoofd. Ze bleef nadrukkelijk wijzen naar de tweede man in de rij. 'Nee, dat is de overvaller die het schilderij van de muur haalde.'

De inspecteur knikte. 'Dan zijn we hier klaar,' zei hij. 'Is de tolk al aangekomen?' vroeg hij de agente.

'Ze wacht op de gang.'

'Mooi, laat haar even binnen zodat ik met haar kan overleggen. En je kunt de figuranten laten gaan. Vraag ook of ze de verdachte laten plaatsnemen. Ik begin meteen met het verhoor, al wil ik eerst nog even met de vrouwelijke arrestant spreken.'

'Goed,' zei de agente, die in de deuropening stond en iemand wenkte.

Toen Lina de kamer binnenkwam en me begroette met een kus, zag ik hoe Krista me even vorsend aankeek. Ik meende teleurstelling in haar blik te lezen. Terwijl inspecteur Kuipers Lina apart nam, zei ze: 'Tolkt ze nu ook al? Ik dacht dat ze journaliste was.' En zonder een antwoord af te wachten, verliet ze de kamer.

Ik wilde achter haar aan gaan, maar Kuipers wenkte me.

'Ik ga nu aan het verhoor beginnen. Onder geen beding mag je deze ruimte verlaten. Je wacht hier tot ik je kom halen, oké?'

Ik knikte.

Samen met Lina, die me een brede glimlach schonk, verliet de inspecteur de kamer. Ik had op de parkeerplaats van Kuipers bedongen dat ik de ondervraging mocht bijwonen. Aanvankelijk had de inspecteur geweigerd. Maar ik had aangedrongen. Had de inspecteur me per slot van rekening niet zelf bij de zaak betrokken? Wat als het bij die aanhouding fout was gelopen? Had hij daar wel over nagedacht? Was ik door mijn aanwezigheid bij de arrestatie bovendien nu niet min of meer een getuige in deze zaak? En had ik er niet voor gezorgd dat de ondervraging van de arrestant meteen kon beginnen? Ik had gepleit voor wat ik waard was, maar Kuipers had zijn hoofd geschud en was de politietoren binnengelopen. Tot mijn grote verbazing was de inspecteur vrijwel meteen weer in de deuropening verschenen en had hij te kennen gegeven dat ik hem moest volgen.

Aan de tafel zat de verdachte verveeld voor zich uit te staren. Met al even verveelde blik stond bij de deur een agent in uniform voor zich uit te kijken. Ik wist dat de man me niet kon zien door het spiegelende glas, toch staarde de verdachte in mijn richting. Hij kon zichzelf niet zitten bewonderen, daarvoor zat het spiegelraam te hoog in de muur. De man moest dus met opzet zijn blik naar het raam richten. Een hautaine blik was het, die mij vanonder de borstelige wenkbrauwen leek op te nemen. Ook al wist ik dat de man me niet zag staan achter het glas, ik voelde me er ongemakkelijk onder worden. De persoon die daar naar me zat te staren mocht dan wel zijn snor hebben afgeschoren en zijn haren gekortwiekt, het was onmiskenbaar de man van de compositietekening die ik had gemaakt. Daarvoor was zijn vierkante kop met de opvallende wenkbrauwen te markant. Opmerkelijk ook hoe snel Krista en de suppoost de man hadden aangeduid als de overvaller.

Het duurde even voor Kuipers samen met Lina het vertrek betrad. Ik zag de verdachte van het raam wegkijken en zijn rug rechten. De inspecteur ging zitten en wees Lina naar de stoel naast hem. Toen ze naast Kuipers plaatsnam, leunde de man naar voren. Steunend op zijn ellebogen wreef hij zijn handpalmen over elkaar alsof hij zich opwarmde voor het woordgevecht.

Kuipers bleef hem een tijdlang zwijgend aankijken, met een vage glimlach rond zijn lippen, en zei toen: 'Dat is jouw moeder die we hebben gearresteerd, niet?'

Lina vertaalde de woorden van de inspecteur.

De man keek haar lange tijd aan voordat hij antwoordde. Hij leek zenuwachtiger dan hij zich voordeed, want hij maakte nerveuze maalbewegingen met zijn handen.

'Ze heeft er niets mee te maken. Ze woont hier in Antwerpen bij een zuster en werkt als schoonmaakster.'

'En zijn vader?'

Lina vertaalde.

'Die is lang geleden overleden.'

'Vraag hem zijn naam.'

'Van de vader?' vroeg Lina.

'Nee.' Kuipers keek geïrriteerd opzij. 'Zijn naam.'

'Dušan Marković.'

'U bent Serviër?'

De man knikte.

'Wel, meneer Marković, we hebben het lijk gevonden van uw collega. Uit de autopsie blijkt dat hij vorige week dinsdag is vermoord. Kunt u ons vertellen waar u die dag was?'

'Bij zijn moeder,' zei Lina.

De inspecteur knikte. 'Hoe ontroerend. Ik vrees dat we uw moeder moeten aanhouden op verdenking van medeplichtigheid.'

Ook al verstond ik niet wat hij zei, ik hoorde de ergernis in de stem van de ondervraagde, die met een vinger naar Kuipers wees, terwijl hij Lina antwoordde.

'Hij weet niets van de moord,' zei ze. 'En hij dringt erop aan dat u zijn moeder laat gaan.'

'U hebt haar lot in handen. Het enige wat u moet doen, is meewerken met het onderzoek. U weet immers wie de overledene is, niet, meneer Marković?'

Lina stelde de vraag, maar Marković antwoordde niet meteen. Hij liet zijn handen op de tafel zakken en bleef lange tijd naar ze staren.

'Branko Lićina.'

'En hoe hebben jullie elkaar leren kennen?'

'Via, via.'

'Kende hij uw moeder?'

Marković sloeg met zijn vlakke hand op tafel, terwijl hij iets tegen Lina zei.

'Ze weet van niets. Hij eist dat u haar laat gaan.'

'Dan zult u toch met meer over de brug moeten komen, meneer Marković. We weten dat u een van de overvallers van het Museum Mayer van den Bergh bent. Twee getuigen hebben u herkend.'

Lina sprak even met de verdachte op zachte, maar besliste toon.

'Hij kende zijn kompaan niet goed. Het was de eerste overval die ze samen deden.'

'Hoe heeft hij die Branko Lićina dan leren kennen?'

Lina stelde de vraag en de Serviër stak een lang betoog af. Midden in zijn woordenstroom stak Lina haar hand op en wapperde er even mee om aan te geven dat Marković moest zwijgen, zodat ze wat hij vertelde, kon vertalen.

'Lićina was net als hij een ex-soldaat in het Servische leger. Hij wilde eigenlijk niet meedoen met de overval. Hij vond het risico te groot. Maar hij heeft speelschulden en had het geld hard nodig. Zijn schuldeisers waren al een keer langs geweest bij zijn moeder en hebben haar toen bedreigd. Hij was Lićina in een café tegen het lijf gelopen en omdat ze allebei soldaten zijn geweest, heeft hij de Serviër in vertrouwen genomen toen ze wat gedronken hadden en heeft hij hem over zijn speelschulden verteld. Lićina vertelde hem over een oude legervriend waarmee hij nog gediend had, die een karweitje had. Die man was blijkbaar voortdurend op zoek naar handlangers.'

'En zijn naam is...?'

De Serviër dacht na en trok daarbij zijn dikke wenkbrauwen tot één harige streep.

'Buša. De man heet Vuk Buša. Hij heeft hem maar één keer kort ontmoet. Maar Lićina beweerde dat hij hem goed kende. Hij bezocht zijn maat wel eens en dat waren heftige feesten. Oude legermakkers onder elkaar...'

'En waar woont die oude ijzervreter?'

'Niet ver van Antwerpen. Hij is er met Lićina één keer langs geweest. Vuk Buša doet zaken met Russen en Oost-Europeanen.'

'Zoals het verkopen van schilderijen zeker.'

Marković knikte.

'Hij doet in antiek.'

'Wat hebben jullie na de overval gedaan?'

'Ze zijn naar een terrein buiten de stad gereden... hij kent de naam van de plek niet,' zei Lina. 'Maar het was ergens in de haven... waar hij samen met Lićina op een binnenschip is gestapt, terwijl hun compagnon de auto...'

'Een binnenschip?' vroeg de inspecteur.

Ik hoorde de verbazing in Kuipers' stem.

'Lićina had dat geregeld. Zo zijn ze tot in Essen in Duitsland gekomen, waar iemand het schilderij van Lićina overnam en hen het geld overhandigde. Daar zijn ze elk hun eigen weg gegaan.'

'Was dat die Vuk Buša?' vroeg de inspecteur.

'Nee, een andere man. Vuk Buša heeft hij niet meer gezien.'

'En heb je Branko Lićina daarna nog gezien?'

'Nee, hij heeft wat vrienden in Duitsland bezocht. Hij is begin vorige week weer in België gearriveerd en heeft gisteren vernomen dat het lichaam van Lićina was gevonden.'

'Van wie hoorde je dat?'

'Dat weet hij niet meer. Ergens in een café... Serviërs onder elkaar, zoiets wordt snel rondverteld.'

'Goed,' zei Kuipers, die opstond. 'Voorlopig houden we het hierbij.'

Toen Lina ook opstond, riep Marković iets naar haar.

'En zijn moeder?'

Kuipers keek de Serviër hoofdschuddend aan. 'Wat dacht je? Ze heeft niets misdaan. We hebben haar al voor dit verhoor laten gaan. Mijn mensen hebben haar zelfs naar huis gebracht.'

Lina vertaalde de woorden van de inspecteur.

Marković knikte.

'Zo konden we daar meteen ook een huiszoeking verrichten,' voegde de inspecteur er fijntjes aan toe.

De Serviër keek hooghartig op voor hij reageerde.

'U zult daar niets vinden,' vertaalde Lina.

'We zullen zien,' zei Kuipers en hij wenkte de agent bij de deur.

De verdachte werd geboeid en door de agent weggeleid. Samen met Lina verliet de inspecteur het lokaal.

Toen Kuipers mij kwam verlossen uit het belendend kamertje, zei hij: 'De man is maar een kleine garnaal. Eigenlijk is het een droevig verhaal, want hij gaat naar de gevangenis en daar komt hij ongetwijfeld nog meer ex-landgenoten tegen, zodat hij verder op het foute pad zal raken. Ik heb het al zo vaak zien gebeuren.'

'U verdenkt hem dus niet van de moord?'

'Nee, we zullen hem uitvoeriger ondervragen, maar ik denk dat we de dader of daders elders moeten zoeken.'

'De chauffeur van de Golf?'

'We hebben jou die robotfoto niet voor niets laten maken. Die ga ik maar eens laten verspreiden, ook al verwacht ik er niet meteen veel van.'

'Misschien is het die oude legervriend,' zei Lina.

'We houden alle opties open. In ieder geval moeten we naar hem op zoek, willen we dat schilderij terugvinden. Hoe graag ik ook de moordenaar achter de tralies wil krijgen, het is ons in feite om de Bruegel te doen.'

De inspecteur liep met ons mee naar de uitgang. Toen we buitenstonden, zei hij tegen Lina: 'Jij hebt puik werk geleverd. Ik wil je nog even aan onze afspraak herinneren: je mag over deze zaak niets publiceren tot wij ons akkoord hierover geven.'

'Ik neem aan dat u me de primeur gunt? Dan hoef ik voor dat uurtje tolken niet eens een vergoeding.'

'Afgesproken,' zei Kuipers.

25

Lina bood me een lift aan. Ze wuifde mijn bezwaren weg – ze had ingecalculeerd dat het tolken haar meer tijd zou kosten – en ik volgde haar naar de Kammenstraat, waar ze haar auto had geparkeerd. We reden een tijdje zwijgend door de stad. Ondertussen probeerde ik het gesprek dat ik daarnet had gehoord opnieuw door te nemen.

'En wat denk jij van die Marković?' vroeg ik.

'Ik geloof dat die inspecteur het bij het rechte eind heeft. Ik heb in rechtbanken wel wat moordenaars gezien... Onze Serviër doet zich stoer voor, maar is eigenlijk een bang moederskindje, in mijn ogen.'

'Dat betekent wel dat de moordenaar van zijn kompaan nog vrij rondloopt.'

'Inderdaad.'

'Misschien mag hij blij zijn dat de politie hem heeft gearresteerd en dat hij nu in... verzekerde bewaring zit.'

'Ik denk niet dat Marković gevaar loopt. Dan was hij vermoedelijk ook al omgebracht. Wat ik intrigerend vind, is dat hij die overval heeft uitgevoerd voor een man die hij nauwelijks kende.'

'Ach, legermakkers onder elkaar zullen mekaar wel vertrouwen, toch? Bovendien had hij speelschulden.'

'Maar die Branko Lićina is wel mooi dood,' zei Lina.

'Jij denkt dat de politie het in de richting van die legervriend moet zoeken?'

'Ik heb geen idee, Lucas.'

'Marković heeft hem in ieder geval aangewezen als opdrachtgever van die diefstal in Mayer van den Bergh.'

'Maar hij lijkt eerder een man die in de schaduw wil blijven. Een antiekhandel in het Antwerpse, die moet toch redelijk gemakkelijk te traceren zijn, niet?'

'Dat lijkt me ook, ja. Zeker als hij zijn eigen naam gebruikt voor de zaak. Hoezo?'

'Als we daar morgen eens naartoe reden? Ik probeer dadelijk op de redactie wel uit te zoeken wat de locatie is. Mogelijk kent iemand daar zelfs die antiekzaak.'

'Waarom wil je dat doen?'

'Gewoon een kijkje nemen.'

'Lina, je hebt inspecteur Kuipers toch beloofd om niets over deze zaak te publiceren?'

'Ik ben journalist, Lucas. Elke collega zou me benijden om het verhaal dat ik net heb gehoord. Ik mag toch wel informatie verzamelen? Dat wil nog niet zeggen dat ik er ook meteen iets over ga schrijven. Maar als het onderzoek evolueert, heb ik al een voorsprong.'

'Ik wil best meegaan, als je dat graag hebt,' zei ik.

Lina keek opzij met een glimlach rond haar lippen. 'Het lijkt me beter om als een koppel naar zo'n zaak te gaan.'

'Ik zal mijn beste pak aantrekken.'

'Dat is je geraden.'

We reden mijn straat in.

'Ik heb nog iets voor je,' zei Lina. 'Ik zoek even een parkeerplaats, want het ligt in de kofferbak.'

Niet ver van mijn voordeur reed net een bestelwagen weg.

Lina manoeuvreerde de Fiat in de vrijgekomen plaats en we stapten uit. Uit de kofferbak haalde ze een leren schoudertas tevoorschijn.

'Hier,' zei ze, nadat ze hem had geopend. Ze reikte me een dikke map aan.

'Wat is dit?'

'Getuigenverklaringen in de zaak tegen Pavković.'

'Hoe ben je daar in hemelsnaam aan gekomen?'

'Basri heeft het me bezorgd. Ik heb een kopie voor jou gemaakt. Lees ze eens door. Ik waarschuw je alvast: het is soms wel stevige kost.'

'Nog meer onthullingen?'

'Wellicht is wat daarin staat allemaal bekend. Per slot van rekening zijn de meeste verklaringen voorgelezen tijdens de aanklacht bij het begin van het proces. Maar nu kunnen we ze in detail bestuderen.'

'Hoe lang heb je dit al?'

'Het zat vanmorgen bij de redactiepost.' Lina grijnsde. 'Met mijn naam in vette letters op de enveloppe.'

'Heb je eigenlijk nog dreigtelefoontjes gehad?'

'Nee, het is bij dat ene gebleven. Vreemd eigenlijk, want ervaring leert dat ze je meestal een paar keren de huid vol willen schelden.'

'En wat ben je hiermee van plan?' Ik stak de bundel in de hoogte.

'Ik hoop er een groot artikel over te schrijven. Het kan de moord op de twee getuigen in een nieuw perspectief plaatsen.'

'Weet Blok hiervan?'

'Nee, ik wil eerst zeker weten of de informatie klopt voordat ik het hem vertel. Het kan nog knap lastig worden om de feiten die worden beschreven te controleren.'

'Je hebt het dus al kunnen doornemen?'

'Ja, vluchtig. Tot jij me belde om te komen tolken. Wat ik wil voorstellen is dat jij die stukken ook doorleest. We kunnen ze dan later samen bespreken.'

'Uiteraard wil ik dat graag doen.'

Lina stapte in haar wagen. Ze startte de motor, maar reed niet weg. Ze draaide het raampje naar beneden en zei: 'Als ik dat adres van die antiekzaak vind, stuur ik je wel een sms'je. Dan pik ik je morgenvroeg op om tien uur. Goed?'

Ik knikte.

'Tot morgen,' zei Lina. Ze draaide het raampje omhoog en wuifde nog even. Toen reed ze de straat uit, terwijl ik op de stoep bleef staan en de Fiat nakeek, de map tegen mijn borst gekneld. Het was spitsuur en op de hoek moest Lina stoppen om te kunnen invoegen in de gestage stroom wagens die op dit tijdstip de stad uit wilden. Ik bleef staren naar de achterkant van het bolhoedje dat met de precisie van een klokje het oranje licht van de richtingaanwijzer liet oplichten, tot Lina om de hoek was verdwenen.

Ze sms'te me om onze afspraak te bevestigen, terwijl ik aan de keukentafel de vuistdikke bundel met processtukken doornam die ze me had gegeven. Het melodietje van mijn gsm deed me opschrikken zo geconcentreerd zat ik te lezen. 'Morgenvroeg tien uur!' las ik op het schermpje van mijn Nokia. Het uitroepteken had ze er ongetwijfeld aan toegevoegd om te onderstrepen dat ze het juiste adres had gevonden. Ik stuurde een kort 'ok!' retour om te laten weten dat ik het bericht gelezen had en vervolgde mijn lectuur in Basri's bundel. De paginalange akte van inbeschuldigingstelling, de verschillende amendementen op die akte, de stapel getuigenverklaringen, de lijst met beschikkingen van de rechtbank... na een tijdje lezen, duizelde mijn hoofd ervan. Niet alleen was alles geschreven in een soms moeilijk te begrijpen juristenjargon, bovendien waren alle stukken ook nog eens in het Engels. De aanklager van het Joegoslavië-tribunaal beschuldigde Vlastimir Pavković van misdaden tegen de menselijkheid en overtredingen van de wetten en gewoonten van oorlogvoering. Pavković was van midden 1997 tot begin 2001 assistent-minister bij het Servische ministerie van Binnenlandse Zaken. Als chef van het departement voor publieke veiligheid vielen alle milities van dat ministerie onder zijn bevoegdheid. In de eerste helft van 1999 hadden die flink huisgehouden in Kosovo. Pavković was een echte bureaucraat. Hij nam aan geen enkele gruweldaad actief deel en voor zover bekend had hij het oorlogsgebied zelfs nooit bezocht. Volgens artikel 7(3) van de statuten van het Joegoslavië-tribunaal was hij als leidinggevende figuur echter individueel aansprakelijk voor alle acties van zijn ondergeschikten. Ik las de betreffende passage in de akte verschillende keren opnieuw: 'Een leider is verantwoordelijk voor de criminele daden van zijn ondergeschikten als hij wist of redenen had om te weten dat zijn ondergeschikten dergelijke daden wilden uitvoeren of daadwerkelijk hadden uitgevoerd, en indien de leider naliet de noodzakelijke en redelijke maatregelen te nemen om dergelijke daden te voorkomen of de verantwoordelijken te bestraffen.' Het was een taai stukje tekst, maar ik las het met instemming.

Ik bekeek de rest van de bundel. Het was nog een flinke brok lectuur waar ik me doorheen moest worstelen. Toen ik een van de getuigenverklaringen vluchtig doorlas, besloot ik de lange lijst voor een andere keer te bewaren. Ik stond op en liep naar de keuken, waar ik in de koelkast naar een biertje zocht. Ik dronk gulzig, maar de koude pils smaakte me niet.

26

We waren op weg naar Schilde, waar volgens Lina de antiekzaak van Vuk Buša zich bevond. We hadden net de snelweg verlaten.

'En?' vroeg ze. 'Heb je al wat in díe bundel kunnen lezen?'

'Ik ben erin begonnen, maar ik ben nog niet toegekomen aan de echte getuigenverklaringen. Ik las wel een interessante passage uit de statuten van het tribunaal over de aansprakelijkheid van leiders. Mij lijkt het duidelijk dat de twee getuigen vermoord zijn omdat ze Vlastimir Pavković konden linken met criminele daden die door zijn ondergeschikten werden begaan.'

'Wacht tot je de getuigenissen in detail hebt gelezen,' zei Lina.

'Is het proces eigenlijk al opnieuw begonnen?'

'Nee, ik kreeg een mail van Basri dat het voor onbestemde tijd is uitgesteld.'

'In zekere zin heeft die Pavković dat dus aan jou te danken,' zei ik.

Lina keek me aan. Haar ogen boorden zich in de mijne. 'Ik heb gedaan wat elke goede journalist zou doen. En die Serviër zal heus wel zijn proces krijgen.'

We reden een tijdje zwijgend voort. De stilte werd enkel

verbroken door de stem van het navigatiesysteem. Lina volgde stug de aanwijzingen. Ze was duidelijk in haar wiek geschoten door mijn opmerking.

'Bestemming bereikt,' klonk het plotseling toen we een lange betonweg opreden.

'Hier moet het ergens zijn,' zei Lina die de Fiat aan de kant van de weg zette en rondspeurde. 'Zie jij hier ergens een huisnummer? Het is nummer 4.'

'Daar.' Ik wees op een plakkaat dat uitrees boven een omheining van draadgaas dat bijna volledig bedekt was met klimop. In sierlijk geschilderde letters stond er: BUŠA'S ART ANTIQUES & DECORATIONS.

Langzaam reed Lina voorbij de afrastering, tot aan een bord met de woorden VRIJE TOEGANG – FREE ACCESS in al even sierlijke belettering. Vuk Buša wilde zijn antiekhandel duidelijk internationale allures geven. Een hoge poort stond uitnodigend open. Aan het einde van een lange oprit van kasseien lag een villa in hoevestijl. Op de brede strook gazon voor het huis stonden en lagen willekeurig verspreid bronzen en marmeren beelden, vazen en ornamenten. Ik herkende een Bacchus en een Cupido. Een smeedijzeren zonnewijzer stond op een verweerde sokkel onder een grote eik. Terwijl we over de oprit reden, bekeek ik het gebouw. In de linkeruitbouw van het enorme landhuis zaten twee grote vitrines. Toen Lina haar wagen parkeerde, zag ik dat op een ervan dezelfde woorden waren gekalligrafeerd als op het bord bij de omheining. We waren de enige bezoekers.

'Misschien hadden we met een wat imponerender voertuig moeten komen aanzetten,' zei ik, toen we over het kasseipad naar de entree liepen.

'Wat mankeert er aan mijn Fiat?'

'In zo'n bolhoedje verwachten ze niet meteen een rijk stel.'

'Het is al goed. We zijn hier ook niet om te kopen.'

'Maar we moeten wel doen alsof. Waar zijn we naar op zoek?'

'Geen idee. Verzin jij maar iets.'

'Bestaat er zoiets als Balkanantiek?'

'Ongetwijfeld. Al kan ik me voorstellen dat er onder die cultuurbarbaren van communisten veel verloren is gegaan. Maar het lijkt me niet zo slim om naar de Balkan te verwijzen. Laten we gewoon wat rondkijken.'

Toen Lina de deur opende, rinkelde er een belletje. De ruimte was behoorlijk volgestouwd met de meest diverse stukken antiek en prullaria. Als in een oude stal was het eikenhouten dakgebinte te zien. Aan enkele balken waren antieke werktuigen bevestigd. De vloer werd gevormd door grote arduinen plavuizen die waren uitgeslepen alsof er hier al honderden jaren bezoekers over de vloer kwamen. Vanuit een belendend vertrek kwam een jonge vrouw in een blauw pak met krijtstreep de winkel binnen. Ze knikte vriendelijk en kwam op ons af. Omdat Lina en ik nog steeds bij de deur stonden, leek het alsof we gekomen waren om iets te vragen.

'Goedemorgen,' zei de vrouw en ze gaf ons een hand. 'Kan ik u ergens mee helpen?'

'We kijken even rond als dat mag,' zei ik.

'Uiteraard. Als u vragen hebt bij een artikel, aarzel niet om ze te stellen. Of als u een prijs wil weten,' zei ze en ze glimlachte fijntjes. Ze liet ons alleen en liep naar een klein antiek bureau met ingelegd leren blad en veel koperbeslag. Vanuit mijn ooghoeken volgde ik haar. Ze schikte een paar kleine voorwerpen en ging vervolgens achter het bureau *De Standaard* zitten lezen.

Lina was inmiddels naar een antieke globe gelopen die in een mahoniehouten frame was bevestigd. Ze boog zich over de kleurige wereldbol. Ik bekeek haar profiel en kreeg plotseling een warm gevoel. Het was geen lust die ik voelde, maar eerder een verlangen naar een ander soort intimiteit. Ze had dan wel wat lacherig gedaan dat we hier als een koppel naartoe waren gekomen, maar waarom zouden Lina en ik geen stel kunnen vormen? Het leek of we dit samenleven zo konden beginnen; alsof het voor de hand lag dat we voortaan samen antiekzaken zouden bezoeken, samen op reis zouden gaan, samen zouden wakker worden.

Alsof ze mijn gedachten kon lezen, keek Lina op. Ze wenkte me en ik liep naar haar toe, terwijl ik voelde hoe ik bloosde als een betrapte puber.

Ik wees naar de kaart op de globe. 'Op zoek naar je roots?' vroeg ik met een fluisterstem.

Ze keek me zorgelijk aan. 'Hij is er niet...'

Ik boog me over de wereldbol, alsof er een detail was dat me interesseerde. 'Waarom vragen we het haar niet gewoon?'

'Nee, nee. Als hij hoort dat er mensen naar hem hebben gevraagd, wordt hij misschien achterdochtig. Laten we gewoon nog even rondkijken en dan weggaan.' Lina leek plotseling in paniek.

'Oké,' zei ik en ik liep een eindje verder.

Als het klopte wat Marković inspecteur Kuipers had verteld en Vuk Buša dealde in gestolen museumstukken als een Bruegel en een Magritte, dan was er in zijn antiekzaak niets van te merken. Smaak had de man nauwelijks of niet. Hier stond voornamelijk kitsch uitgestald, dure kitsch ook nog, die ongetwijfeld de rijke villabewoners in de omtrek zou aanspreken. Ik kon me hun interieurs en tuinen al voorstellen, de achteloze wijze ook waarmee ze hun gasten tijdens een diner de forse prijzen, die ze voor de antieke stukken hadden betaald, meedeelden. En kijk, ik dacht nog maar aan die rijke stinkerds, of daar had je er al een: door de grote vitrine zag ik een luxe ter-

reinwagen over de oprit rijden. De chauffeur parkeerde de Jeep
– of was het een Land Rover? – naast de Fiat 500 van Lina, wat
het toch al compacte autootje nog kleiner deed lijken. Een
boomlange man in een lange winterjas stapte wat moeizaam
uit. Ik zag dat hij een wandelstok droeg en dat hij mank liep.
Slepend met zijn rechterbeen, alsof hij niet in staat was het
kniegewricht te buigen, liep hij op de entree af. Toen hij binnenkwam, veegde hij even zijn schoenen aan de mat en riep
iets naar de vrouw achter het antieke bureau in een taal die ik
niet verstond. Ik zag Lina omkijken. Ze moest hem hebben
verstaan. Terwijl de man door de winkel schreed, keek ze met
een veelbetekenende blik naar mij. Ik knikte onopvallend dat
ik haar begrepen had: dit was ongetwijfeld de eigenaar. Ik volgde hem vanuit mijn ooghoeken en zag hem in het belendend
vertrek verdwijnen. Hij keerde terug zonder de winterjas en
droeg nu een glanzend blauwgrijs pak. In de bovenzak stak
een kardinaalrood pochet. Hij onderhield zich nog even met
de jonge vrouw, terwijl hij ons opnam, leunend op zijn stok.
Ik had me weer bij Lina gevoegd en deed alsof ik dezelfde houten sculptuur als zij bekeek. Het was een hoofd van een der-
tigtal centimeter hoog. Toen ik het opnam om het beter te
bekijken, stelde ik vast dat het opvallend licht was voor een
houten blok van die omvang. Ooit moest het hele hoofd beschilderd geweest zijn, want minieme restjes verf waren nog
zichtbaar bij de mond- en ooghoeken en in de haarpartij. De
zware rimpels in het voorhoofd, de samengeknepen ogen, de
opengesperde mond, duidden op een figuur in nood of in ra-
zernij. Die expressieve uitdrukking werd nog geaccentueerd
door de nerven in het hout, die kringen maakten bij de wangen
en rond de kin. Misschien was het niet mooi, maar als uitdrukking van een gemoedstoestand was het op zijn minst geslaagd.
Hoe langer ik ernaar keek, hoe groter mijn bewondering voor

de beeldhouwer werd. Details van neus, oogleden en vooral de mond waren zo nauwgezet uitgebeeld dat het leek alsof deze kop elk ogenblik in een luide schreeuw kon uitbarsten.

Terwijl ik het houten beeldje voorzichtig terugzette, hoorde ik achter me de slepende tred van de man. Hij kwam naast ons staan.

'Kunt u iets van uw gading vinden?'

Hij sprak Engels met hetzelfde accent als Basri dat deed. Alles aan de man was fors: brede schouders torsten een kop met bolle wangen en een hoog voorhoofd. Hij had bijna geen nek.

'Interessant beeldje,' zei ik.

'Bent u een kenner van oosterse snijkunst?'

Ik schudde mijn hoofd.

'Het is Japanse cipres,' zei de man, die zijn wandelstok tegen een kast zette en het beeldje op zijn beurt opnam. 'Het stamt uit de Kamakura-periode; veertiende eeuw. Oorspronkelijk was deze kop onderdeel van een groter beeld en was hij beschilderd.'

De man wees naar een plek bij de onderlip.

'Dat had ik ook al opgemerkt,' zei ik. 'Wat kost het?'

De antiquair nam me taxerend op, alsof hij mijn beurswaarde trachtte te raden: 'Tweeduizend negenhonderd euro.'

'Zo,' zei ik.

'Het is waardevol. Hout is door de eeuwen heen het meest geschikte materiaal geweest in de beeldhouwkunst, maar het is kwetsbaar. Vuur en vocht, weet u, en beestjes natuurlijk. Daarom vinden we er minder van terug dan stenen beelden en dat bepaalt de marktwaarde.'

'Wat denk je, schat?' Ik keek naar Lina alsof we een koop overwogen. Ik probeerde mijn rol zo goed mogelijk te spelen.

Lina antwoordde niet meteen. Ze sloeg haar armen over elkaar alsof ze het koud had en haalde haar schouders op.

Ze zag bleek, vond ik.

'Ik vraag me af,' zei ze en ze aarzelde even, 'hoe zo'n beeldje helemaal uit Japan in een antiekzaak in Schilde is beland. Wie zegt dat het authentiek is?'

De eigenaar leek even van zijn à propos. Hij keek Lina strak aan en vroeg: 'Twijfelt u aan mijn expertise, mevrouw?'

'Schat...' begon ik, maar Buša onderbrak me.

'Ik kan u een echtheidscertificaat tonen,' zei hij en hij draaide zijn hoofd in de richting van de vrouw achter het bureau. 'Ludmilla, zoek even het document van deze sculptuur, wil je?'

'Doet u geen moeite,' zei Lina.

Plotseling had ik geen zin meer in deze maskerade. Het dreigde uit de hand te lopen; we waren immers helemaal niet van plan het beeldje te kopen.

'We denken er nog eens over na,' zei ik.

'Natuurlijk,' zei de man. Hij zette het houten hoofd behoedzaam terug op zijn plaats en zocht zijn wandelstok. Die had een opvallend bewerkte knop in de vorm van een gestileerde hondenkop.

'Ook antiek?' vroeg ik.

De man knikte. 'Maar die is niet te koop, want ik kan niet zonder.' Hij sloeg tegen zijn bovenbeen. 'Een oude oorlogswond,' zei hij en hij liep met slepende tred naar het bureau.

Toen we even later over het kasseipad naar de Fiat liepen, zei ik: 'Dat was me even een heftige reactie.'

'Ik vertrouw die man niet.'

'Omdat hij een Serviër is?'

Lina reageerde niet, maar stapte stug door.

'Ik vraag me af of die Marković niet gelogen heeft. Die antiquair heeft toch niets van een crimineel. Bovendien weet hij wel waar hij het over heeft. Die Japanse kop is toch een prachtstuk.'

'Ik hou niet van antiek,' zei Lina en ze opende de portieren.

'Waarom heb je hem niet aangesproken in zijn eigen taal? Ik had de verrassing op zijn gezicht willen zien. Was dat trouwens zijn dochter?'

Lina schudde haar hoofd. 'Lijkt me niet, nee. Hij noemde haar "mijn duifje".'

'En dat kun je niet tegen je dochter zeggen?'

We stapten in.

Lina startte de motor.

'Dit was jouw idee,' zei ik, terwijl ik de veiligheidsgordel omdeed.

Lina knikte. Met een brute beweging schakelde ze de versnellingspook in zijn achteruit en met een ruk schoot de Fiat naar achteren.

Ik keek naar haar. Maar Lina bleef strak voor zich uit kijken, terwijl ze schakelde en het kasseipad afreed.

Net toen we door de poort wilden rijden, kwam een politiewagen de oprit opgereden. Ik zag nog meer politiewagens in de straat en herkende ook de Audi van Kuipers.

'Ze hebben Vuk Buša's adres blijkbaar ook gevonden,' zei ik. 'De inspecteur heeft wel veel volk meegebracht voor een ondervraging.'

'Wellicht zullen ze ook een huiszoeking doen,' zei Lina, die de Fiat achteruit het gazon op manoeuvreerde om de vloot politieauto's door te laten. De Audi stopte op onze hoogte en Kuipers gebaarde dat Lina haar raampje naar beneden moest draaien, terwijl hij zelf zijn ruit liet zakken.

'Wat heeft dit te betekenen?' vroeg hij. Op zijn gezicht was ergernis te lezen.

'We waren op zoek naar een gepast cadeau voor iemand die van antiek houdt,' zei Lina.

Ik onderdrukte een lach.

'Mevrouw Hasani, ik herinner u aan onze afspraak. Ik wil morgen hierover niets in uw krant lezen, begrepen?'

Lina knikte.

Kuipers draaide zijn raampje omhoog en reed verder.

'Daar gaat je artikel,' zei ik.

'Dat valt nog te bezien,' zei Lina, die het raampje sloot en de poort uitreed.

27

De volgende dag belde Lina al vroeg. 'Heb je vandaag tijd om de rest van de bundel door te nemen?' vroeg ze, toen ik de telefoon nog maar net had opgenomen. Ze was weer haar vinnige zelf, aan haar dwingende stem te horen.

'Ja, dat moet lukken. Heb je iets ontdekt in die stukken?'

'Dat kunnen we vanavond bespreken. We hadden nog een afspraak openstaan. Wat denk je?'

'Waar spreken we af?'

'Ik wil nog wel een keer naar die Italiaan. Die is me de vorige keer goed bevallen en het is bij jou in de buurt. Laten we zeggen halfacht?'

'Oké. Ik hoop alleen maar dat ik na het lezen van die getuigenverklaringen nog honger heb. In Den Haag had ik al moeite met het luisteren naar al die gruwelijkheden.'

'Ik vrees dat deze verhalen even afschuwelijk zijn,' zei Lina. 'Tot vanavond.'

Ik zette me opnieuw aan de keukentafel met de bundel processtukken die Basri Lina had bezorgd. De lijst met beschuldigingen tegen Vlastimir Pavković was pagina's lang. Elke beschuldiging was netjes genummerd en telde niet meer dan enkele regels. Bovenaan de lijst stonden de algemene beschuldigingen, te beginnen met de vaststelling dat Pavković en zijn collega's in de Servische regering een bewuste en systematische campagne van geweld en terreur hadden gepland, in gang gezet, bevolen, uitgevoerd of anderszins ondersteund tegen Albanese burgers, die leefden in Kosovo in de Federale Republiek van Joegoslavië. Het ging om ruim achthonderdduizend gedeporteerde burgers en tienduizenden slachtoffers. Bij die aantallen kon ik me moeilijk iets voorstellen. Het waren de concrete beschuldigingen, die lager op de lijst van de aanklager stonden, die me het meest troffen. Zoals de achtduizend inwoners van het dorp Nogavac die in maart 1999 naar de bergen waren gevlucht, maar door de Servische milities naar hun huizen waren teruggedreven. Enkele dagen later bombardeerde de Servische luchtmacht het dorp, waarbij een onbekend aantal doden viel. De rest van de dorpelingen vluchtte naar de grens met Albanië. Daar namen de Servische milities al hun bezittingen af. Het dorp en de moskee werden met de grond gelijkgemaakt. Vergelijkbare gebeurtenissen deden zich die weken en maanden voor in tal van Kosovaarse dorpen. Ik herinnerde me de tv-beelden van Albanese Kosovaren die op gammele karren, roestige tractoren, maar veelal te voet naar de grens met Albanië vluchtten. Het Westen liet het betijen. Pas na enkele maanden besliste de NAVO om bombardementen op Servië uit te voeren, in de hoop dat de milities zich uit Kosovo zouden terugtrekken. Maar die actie had de situatie alleen maar verergerd. Na de start van de NAVO-bombardementen in maart 1999 dreven de Servische leiders de terreurcampagne in Kosovo verder op.

Naarmate ik de lijst van de openbare aanklager afdaalde, werd het aantal slachtoffers kleiner en de misdaden groter. Ik las ze met steeds meer weerzin. In het dorp Bellacerka schoten Servische milities in de ochtend van 25 maart twaalf leden van twee families dood die zich verscholen hadden onder een brug.

De enige overlevende was een jongetje van twee jaar dat door zijn moeder met haar lichaam was beschermd tegen de kogels. De dokter smeekte de Servische bevelhebber om de rest van het dorp te sparen, maar de commandant, die met zijn voet de zeventienjarige neef van de dokter op de grond gedrukt hield, antwoordde: 'Jullie zijn terroristen en de NAVO zal jullie niet redden.' Daarop schoot hij met zijn automatisch wapen de dokter neer voor de ogen van zijn vrouw en drie kinderen. Vervolgens doodde hij ook de neef. Hij beval dat alle mannen en vrouwen gescheiden moesten worden. De vrouwen kregen het bevel het dorp te verlaten en niet om te zien. Alle mannen van het dorp, waaronder ook kinderen van twaalf jaar, werden meegenomen naar de rand van de dorpsbeek en daar neergeschoten. Deze misdaad was alleen uitgekomen omdat een van de dorpelingen het overleefde. Ik las de verklaring van de man: 'Ik had geluk, ik stond vooraan en kreeg een kogel in mijn schouder. Ik viel in de beek en hield me dood. Ongeveer twintig lijken vielen bovenop mij. Ze schoten nog in de stapel lijken om er zeker van te zijn dat iedereen dood was. Maar ik overleefde omdat ze me niet zagen.'

Ik was net van plan er de brui aan te geven, toen bijna helemaal op het einde van de lijst me een verklaring opviel omdat deze kwam van twee Servische getuigen, waarvan ik de namen meteen herkende: Jelena Mihajlović en Ivan Lukić. Ze begon onderaan het blad, maar toen ik de pagina omsloeg om verder te lezen stelde ik vast dat er in dit deel van de bundel een bladzijde ontbrak. Ik controleerde voor alle zekerheid nog eens de paginanummers en bladerde helemaal tot het einde van de documenten, omdat de kopieën mogelijk verkeerd waren gesorteerd. Maar de bladzijde met het vervolg van de twee getuigenissen was de enige die ontbrak. Was Basri, die de bundel had samengesteld, onzorgvuldig geweest? Of had hij moedwillig de pagina met de verklaringen van de twee vermoorde getuigen niet in de bundel opgenomen? Mogelijk had Lina er een verklaring voor. Even overwoog ik haar te bellen. Maar het leek me beter te wachten tot halfacht.

Voor ik me ging omkleden om naar het restaurant te vertrekken, zette ik nog even de radio aan om naar het nieuws te luisteren. Het opende met de nooit eindigende perikelen rond de regeringsvorming. Nu de koninklijke bemiddelaar er de brui aan had gegeven, zaten de onderhandelingen weer muurvast. Niemand leek een idee te hebben hoe het verder moest. Ik schrok toen een krantencolumnist, die werd geïnterviewd over de politieke malaise, zich afvroeg of het twintig jaar geleden in Joegoslavië ook zo zou zijn gegaan. Als er steeds minder gemeenschappelijke woorden overblijven, wordt het gesprek onmogelijk, hoorde ik de journalist zeggen. Het viel niet te ontkennen dat de gemeenschappen in België minder en minder dezelfde taal spraken. Het tweede item ging over de kofferbakmoord en ik spitste mijn oren. Blijkbaar was de actie van inspecteur Kuipers al opgepikt door de pers, ondanks zijn afspraak met Lina. Vuk Buša was gisteren inderdaad meegenomen voor ondervraging, maar was dezelfde dag nog op vrije voeten gesteld. De antiquair bleek een sluitend alibi te hebben. De cel kunstfraude van de politie had wel een onderzoek naar zijn activiteiten als antiekhandelaar geopend.

Ik kleedde me om en liep naar La Sezione Aurea. Ruimschoots te vroeg voor mijn afspraak met Lina stapte ik het restaurant binnen. Elena begroette me met de Italiaanse uitbundigheid waarmee ze me altijd verwelkomde. Het was er niet druk.

'Het zijn moeilijke tijden, Lucas, en dan gaan mensen minder vaak uit eten,' zei Elena, die me voorging naar de gelagzaal waar slechts enkele tafeltjes bezet waren.

'Ik wacht nog op iemand,' zei ik, toen Elena me de menukaart bracht. 'Ik ben wat te vroeg.'

'Zal ik je al een prosecco inschenken?'

'Ja, doe maar.'

Elena keerde terug met een glas en een fles. Ik herkende het merk, een Bisol die het restaurant wel vaker schonk. Er kwam een koppel binnen en Elena leidde hen naar een van de tafeltjes.

Het werd halfacht. Het werd kwart voor acht en ik vroeg me af waar Lina bleef. Ze was altijd stipt op tijd op een afspraak. Was er op het laatste ogenblik nog iets binnengekomen op de redactie? Of zat ze vast in het verkeer? Dan zou ze me toch zeker gebeld of ge-sms't hebben. Verontrustend was het niet om alleen in een restaurant te zitten, verontrustend werd het pas als je nog steeds met een prosecco voor je neus zat – mijn tweede glas al – en de andere restaurantgasten al aan hun voorgerecht bezig waren.

Elena kwam informeren hoe het met mijn gast zat.

Ik schudde vol onbegrip mijn hoofd. 'Ze is nooit te laat. Heeft er zelf een hekel aan als anderen te laat komen. Ik denk dat ik haar maar even bel.'

'Doe dat,' zei Elena die zich zichtbaar zorgen leek te maken.

Ik zocht mijn gsm en koos Lina's nummer. Terwijl ik wachtte, dronk ik van het glas. Ik liet het mobieltje langer overgaan dan ik normaal deed, maar Lina nam niet op. Toen ik haar voicemail kreeg, overwoog ik even om een bericht in te spreken, maar drukte uiteindelijk geërgerd de verbinding weg.

Elena kwam opnieuw informeren hoe het zat.

'Ik vrees dat iemand mij vanavond heeft laten zitten,' zei ik en ik grinnikte schaapachtig. 'Het is me nog nooit eerder overkomen.'

'Misschien is er wel iets gebeurd. Ken je geen familie of vrienden die je kunt bellen?'

'Nee, ik heb alleen haar gsm-nummer.'

'Ik breng je vast wat amuse-gueules,' zei Elena bezorgd.

Ik knikte. Naar goede Italiaanse traditie viel er met eten alles te regelen. Maar ik begon nu ook ongerust te worden. Lina had toch aangedrongen op deze afspraak? Ik probeerde opnieuw haar nummer. Maar ook ditmaal nam ze niet op. Ik besloot Wim te bellen.

'Hé, Lucas!' riep de fotograaf. Op de achtergrond hoorde ik een hoop kabaal. 'Heb je geen zin om langs te komen? Ik geef hier net een feestje. Een van mijn foto's heeft vandaag een prijs gewonnen.'

'Bedankt, Wim, maar ik vroeg me af of jij weet waar Lina uithangt. Ik had vanavond een afspraak met haar.'

'Lina? Nee, de hele dag niet gezien. Maar ik ben niet op de redactie geweest. Ik had enkele reportages in het land.'

'Ik kan haar niet bereiken op haar gsm.'

'Ach, misschien zit ze nog aan een artikel te werken. Dan zet ze haar mobieltje wel eens uit. Bel de redactie eens.'

'Oké, bedankt Wim. En nog proficiat met je prijs.'

Ik verbrak de verbinding. Even overwoog ik of ik de redactie zou bellen, maar ik besloot er gewoon naartoe te gaan. Ik verontschuldigde me bij Elena en rekende af. Met de tram reed ik naar Linkeroever, terwijl ik me steeds ongeruster begon te maken.

28

Bij de receptie van *De Nieuwskrant* vroeg ik naar Bert Blok. De hoofdredacteur stond me op te wachten toen ik de redactiezaal binnenliep. Zo laat op de avond was er flink wat volk aan het werk. Met de snel wisselende politieke actualiteit was het vermoedelijk op elke krantenredactie alle hens aan dek. Bij de koffieautomaat stonden een paar mensen druk te overleggen. Wim had ooit geschertst dat de uitgever op alles mocht besparen, maar als hij de koffie wegbezuinigde, dan had hij gegarandeerd een staking van de redactie aan zijn broek. Ik stelde meteen vast dat de werkplek van Lina leeg was. Blok zag me kijken.

'Eindelijk heeft ze willen luisteren en haar bureau opgeruimd,' zei hij. 'Dat heeft ze meteen ook grondig gedaan, zoals je kunt zien.'

Ik liep ernaartoe. De leegte van het bureaublad onderstreepte haar afwezigheid. In niets herinnerde de werkplek aan Lina: weg waren de stapels papier, mappen, folders en cd-doosjes. Ook het scherm herkende ik nauwelijks zonder de krans van kleurige post-its. Ik had graag de laden geopend om te kijken of ze hier de bundel van Basri bewaarde. Maar dan zou ik Blok moeten vertellen over wat ik meende ontdekt te hebben.

'Het lijkt wel alsof ze ontslag heeft genomen,' zei ik.

'Lina? Nog in geen honderd jaar,' riep Blok. En hij fluisterde zodat de andere medewerkers het niet konden horen: 'De krant zou nog niet half zo goed zijn zonder haar bijdragen.'

'Wanneer heb je haar voor het laatst gesproken?'

'Vanmorgen. Nadat ze haar bureau had opgeruimd. Ze is me nog uit mijn hok komen roepen om het wonder te aanschouwen. Hoezo?'

'Ik had vanavond met haar afgesproken, maar ze is niet komen opdagen. En ik kan haar niet bereiken op haar gsm.'

'Misschien had ze wel een andere afspraak. Lina is nogal een vulkaan, soms.'

'Dat geloof ik niet.'

Blok keek me onderzoekend aan. Mijn ongerustheid moest van mijn gezicht af te lezen zijn, want hij vroeg: 'Is er iets dat ik moet weten?'

'Lina is bezig met de zaak Pavković.' Ik aarzelde even. 'Ze had nieuwe documenten ontvangen.'

'Daar weet ik niets van.'

'Ze wilde ze eerst bestuderen voor ze met jou wilde overleggen. En ik denk dat ze iets belangrijks heeft ontdekt. Daarom had ze ook met mij afgesproken.'

'Heb jij die documenten gezien, dan?'

Ik knikte. 'Lina heeft ook een dreigtelefoontje gekregen.'

'Werkelijk? Daar heeft ze me niets van verteld. Ach, Lucas, je moet nu niet meteen grote complotten gaan zoeken omdat iemand je een avond heeft laten zitten. Als ze zich echt bedreigd voelde, zou ze me dat zeker hebben verteld.'

'Ik weet het niet. In Den Haag had ik ook al het gevoel dat we gevolgd werden. Ik denk dat ik maar even bij haar thuis ga aankloppen. Heb je haar adres?'

'Euh... ze woont op Linkeroever. Wacht, ik zoek het even op,' zei Blok en hij liep naar zijn kantoor.

Ik volgde hem.

De hoofdredacteur begon op zijn MacBook te tikken. 'Ik schrijf het voor je op,' zei hij en hij opende een lade waar hij een velletje papier en een pen uitnam. 'Ze woont in een van de gebouwen aan de Charles de Costerlaan.'

'Is dat ver van hier?'

'Te voet is dat toch al gauw een halfuur lopen. Maar je kunt hier wat verderop de tram nemen. Als je dan uitstapt bij de halte aan de Halewijnlaan is het nog te doen.'

'Bedankt,' zei ik. Ik las het adres en stopte het papiertje in mijn jaszak.

Een korte tramrit en een snelle wandeltocht brachten me bij de hoogbouw die zo typerend is voor Linkeroever. De troosteloze gebouwen konden net zoals het appartementsgebouw op het Zuid waar Mortelmans, de oude zeeman, woonde een opknapbeurt gebruiken. Ik begreep niet waarom Lina geen ander onderkomen zocht. Als journalist moest ze toch genoeg verdienen om zich iets beters te kunnen veroorloven.

Beneden in de entreehal liep ik naar de brievenbussen. Toen ik Lina's naam vond, drukte ik op de bel. Ik keek naar het gaatjespatroon van de intercom: ergens verwachtte ik haar stem te horen. Maar er kwam geen geluid uit de intercom, ook niet toen ik een tweede keer wat langer op de knop drukte. Als ze onze afspraak had gemist, omdat ze in slaap was gevallen of plotseling ziek was geworden, dan zou het belgerinkel haar inmiddels hebben moeten wekken. Ik liep naar de liftdeuren. Het duurde even voor ik kon instappen. Toen er eindelijk een lift arriveerde, moest ik wachten tot iemand zijn fiets, die rechtop in de kooi stond, naar buiten had gemanoeuvreerd. Op de achtste verdieping stapte ik uit. Het was het voorlaatste appartement. Gedecideerd klopte ik met mijn knokkels op de deur.

Als de bel niet werkte, zou Lina nu toch wakker moeten worden. Ik voelde een zekere spanning rond mijn maag, die verergerde toen het na nog enkele keren kloppen stil bleef in het appartement. Ik liep verder de gang in, naar het laatste appartement, en klopte aan. Maar ook daar bleek niemand thuis. Vertwijfeld stond ik in de half verduisterde gang te koukleumen, toen ik plotseling een deur op een kier zag opengaan. Een streep licht viel over de gangvloer en twee ogen staarden me door de spleet aan, een beetje op hun hoede, maar ik las er ook ergernis in. Ik liep er meteen naartoe. In de kamer hoorde ik een hond aanslaan.

'Kent u de bewoonster hiernaast?' vroeg ik.

De deur bleef dicht, op de kleine kier na. 'Wat moet u?' vroeg een vrouwenstem.

'Mijn collega en ik hadden afgesproken, maar ze is niet komen opdagen.'

'U maakt wel een hoop herrie. U bleef maar bellen en op die deuren slaan.'

'Sorry, als ik u aan het schrikken heb gemaakt. Maar ze beantwoordt haar telefoon niet. Ik maak me ongerust.'

Ik hoorde geschuif en het rinkelen van een ketting. De hond blafte nog steeds. 'Stil maar, Fredo,' hoorde ik de vrouw zeggen, terwijl ze de deur iets verder opende. 'Ik heb mijn buurvrouw vandaag nog niet gezien, maar ik meende haar daarstraks wel gehoord te hebben.' De vrouw leek het zaakje nu beter te vertrouwen, want ze opende de deur helemaal. 'Die appartementen hier zijn nogal rumoerig, weet u,' zei ze en ze kuchte.

Het was een oude vrouw in een wat slonzige, gebloemde schort. Haar opvallend verzorgde kapsel, helemaal grijs, stak er erg tegen af.

'Wanneer?'

'Laat in de middag.'

'Kent u uw buurvrouw goed?'

'Juffrouw Hasani? Niet zo goed, nee. Ik weet dat ze bij de krant werkt. En dat ze hard werkt. Ze is bijna nooit thuis en soms verdwijnt ze wel eens voor een paar dagen.'

'Een paar dagen?'

'Ja, dan gaat ze op reportage, zegt ze.'

'Wanneer hebt u haar voor het laatst gezien?'

'Even denken... Dat moet gisteravond geweest zijn. Ze was vroeger dan anders terug van de krant. Dat is hier ook op Linkeroever. Ik liet toen net Fredo uit.'

'En hebt u iets aan haar gemerkt?' Ik herinnerde me Lina's vreemde gedrag gisteren na het bezoek aan de antiekzaak. Ze leek toen niet zichzelf.

'Nee, ze was aardig voor de poedel, zoals altijd wanneer ze hem ziet. Soms past ze wel eens op Fredo, als ik naar de dokter moet. Ik heb al dikwijls gezegd dat ze zelf een hond moet nemen, maar daar heeft ze geen tijd voor, beweert ze.' De vrouw keek me plotseling met een zorgelijk gezicht aan. 'Denkt u dat er iets met haar gebeurd is?'

'Ik weet het niet. We hadden een afspraak, maar ze is niet komen opdagen en sindsdien kan ik haar niet bereiken.'

'Bent u haar vriend? Ze heeft me nooit gezegd dat ze een vriend heeft. Ik dacht dat ze niemand had, daarom zei ik ook dat ze een hond moet nemen. Dan heeft ze wat gezelschap.'

'Laten we zeggen dat ik een goede collega ben van Lina. Ik werk vaak samen met haar.'

'We kunnen altijd een kijkje gaan nemen in haar appartement... Juffrouw Hasani heeft me een reservesleutel gegeven. Zo was ze altijd zeker dat ze binnen kon in het geval ze haar sleutel zou verliezen.'

'Dat zou ik erg graag doen.'

'Wacht dan even,' zei de vrouw en ze deed de deur dicht. Even later kwam ze de gang op en ging ze me voor naar de deur van Lina's appartement.

'Ik weet niet of we dit wel mogen doen,' zei de vrouw, maar ze stak de sleutel al in het slot.

'We kijken gewoon even rond,' zei ik en ik stapte achter de vrouw het appartement binnen.

'Ik ben hier nog maar enkele keren geweest,' zei de buurvrouw, die nieuwsgierig om zich heen keek. 'Dat was toen ze nog aan het verhuizen was. Ik probeer altijd meteen kennis te maken met nieuwe bewoners op mijn gang. Maar deze juffrouw is erg op zichzelf. Ik zet wel eens een pannetje met soep aan haar deur. Ze werkt vaak laat en ik heb de indruk dat ze soms niet goed eet. Die jonge vrouwen van tegenwoordig zijn allemaal met hun lijn bezig... Ze brengt het pannetje wel altijd keurig afgewassen terug.'

Ik liet de vrouw babbelen. Met een zekere terughoudendheid liep ik verder het appartement in. Het was alsof ik de grens van Lina's intimiteit schond. Ze had me hier nooit uitgenodigd. De gordijnen waren open en er viel een blauw, schemerig licht door de ramen. In de verte zag ik de donkere contouren van Antwerpen. Het centrum van de stad werd hier en daar verlicht door de oranje gloed van de straatlantaarns, dat weerkaatst werd in het water van de Schelde. Al bij het binnenkomen was het me opgevallen hoe karig het appartement was ingericht en het beeld van de spartaanse ruimte werd bevestigd toen de buurvrouw het licht aanknipte. Er stond een witleren bankstel en twee fauteuils, die hun beste tijd leken te hebben gehad, rond een laag salontafeltje met een glazen blad. Lina moest van wit houden, want ook de eettafel en de enige kast in het vertrek hadden die kleur. De kleuraccenten in de woonkamer kwamen van de ruggen van de boeken in de kast en van het rode, gele en blauwe kleurvlak op een ingelijste reproductie van een schilderij van Mondriaan aan een van de muren. Een dergelijke minimalistische smaak had ik niet verwacht van Lina. Blijkbaar reserveerde ze de chaos enkel voor haar werkruimte op de redactie. Er hing ook een geur in de kamer die ik niet meteen aan Lina zou toeschrijven: een muskusachtige odeur, die me eerder deed denken aan een mannelijk parfum, zij het niet zo penetrant als het parfum dat je wel eens in een tram rook wanneer een goed geschoren man instapte. Het was meer een vage herinnering aan die geur.

'Ze moet deze keer halsoverkop zijn vertrokken,' hoorde ik de vrouw zeggen die in de deuropening stond van wat de slaapkamer moest zijn. Haar hond begon in het appartement ernaast weer te blaffen. Ik liep naar de slaapkamer en wierp een blik in de ruimte. Er stond een bed, dat niet was opgemaakt, een hoge kleerkast en een commode. Ze waren al even wit als de meubels in de woonkamer. Van beide kasten stonden enkele laden open. In het vertrek stond ook een fitnesstoestel en ernaast lagen een paar halters op de grond. Ik wist dat Lina sportief was, maar dat ze zo met haar lichaam bezig was, had ik niet verwacht.

'Ik moet terug naar Fredo,' zei de buurvrouw. 'Hij is niet graag alleen. Dan blijft hij blaffen. De buren klagen erover.'

'Ik wacht hier nog even op Lina als u het niet erg vindt.'

De vrouw stond in dubio. 'Ik weet niet of juffrouw Hasani...'

'Ik ken Lina goed. Ze zal het heus niet erg vinden dat u me hebt binnengelaten.'

'Misschien moeten we toch maar...'

'Als ze er in een halfuurtje nog niet is, breng ik u de sleutel terug.'

Ik hoorde de hond steeds luider blaffen.

'Goed,' zei de vrouw en ze liep het appartement uit.

29

De vrouw had de deur wagenwijd laten openstaan. Ik duwde hem dicht tot op een kier en keek om me heen. Aan de muur naast de kast met boeken hing een fotolijst. Behalve de reproductie van de Mondriaan was het de enige lijst tegen de muren van de woonkamer. Ik liep ernaartoe. De lijst was gevuld met foto's in verschillende formaten die tot een soort familieportret waren geassembleerd. Nieuwsgierig bekeek ik de portretten. In het midden prijkte een zwart-witfoto van een koppel dat wat stuurs in de lens keek, ongetwijfeld vader en moeder Hasani. Rond hun portret waren de kleurenkiekjes van de kinderen geschikt, alle gemaakt op erg jonge leeftijd, zodat het onduidelijk was wie van de bevallige kopjes nu Lina was. Ik gokte op een portretje van een meisje met twee lange vlechten en glimlachte vertederd.

Ik draaide me om en keek rond. Naast de slaapkamer was er nog een vertrek. Ik liep ernaartoe en bleef op de drempel staan. Blijkbaar had Lina de kamer als kantoor ingericht. De tegenstelling met de woonkamer en de slaapkamer kon niet groter zijn. Hier had de chaos duidelijk weer de overhand, want het bureaublad was net als haar werkplek op de redactie overdekt met documenten, mappen, tijdschriften en boeken. Tot op de vloer lag het vertrek vol met stapels papier. Toen ik naar het bureau liep, zag ik dat ook de laden openstonden. Of Lina had op het allerlaatste ogenblik voor ze hier was vertrokken nog naarstig naar iets gezocht, of – en ik had deze gedachte al in de slaapkamer proberen te onderdrukken – iemand was in Lina's appartement op zoek geweest naar iets. Opnieuw meende ik trouwens de muskusachtige geur waar te nemen. Ik bekeek de papieren veldslag. Uit een vluchtige inspectie leek het me dat de journaliste ook thuis voortdurend bezig was geweest met de zaak Pavković. Ik ontdekte oude knipsels uit kranten, die naar ik aannam Servisch waren, met foto's van de man in het gezelschap van enkele militairen en ook eentje waar hij stond te glimmen naast Milošević. Er zat geen stramien in de documenten; het leek eerder dat er flink in de stapel papier was gerommeld. Het had er alle schijn van dat Lina inbrekers op bezoek had gehad of wie weet had ze zelf wel haar bezoeker of bezoekers mee naar huis genomen en was er toen iets gebeurd. Maar de buurvrouw had geen verdachte geluiden gehoord. Als er ruzie was geweest, of een gevecht, dan zou haar dat zeker haar oren hebben doen spitsen, zo nieuwsgierig was die oude dame wel. Ik keek op en probeerde na te denken, terwijl ik naar een grote landkaart staarde die tegen de muur tegenover het bureau hing. Het was een oude kaart van de Balkan, met de Republiek Servië als centrum. Ik dacht aan de bundel van Basri. Waren de inbrekers op zoek geweest naar de documenten? Had Lina er iets in ontdekt, dat haar in gevaar had kunnen brengen? Verwoed begon ik door de documenten te zoeken. Mijn ogen scanden de teksten, maar de meeste waren in een mij vreemde taal geschreven en van degene die in het Engels waren, herinnerde ik me niet ze in de bundel te zijn tegengekomen. Ik stond op en bekeek ook de stapels papier die op de grond tegen de muur waren opgehoopt. Naast een reeks tijdschriften waren het voornamelijk exemplaren van De

Nieuwskrant; er moesten ettelijke jaargangen liggen, als ik de hoogte van de stapels inschatte. Opnieuw keek ik het vertrek rond. Tegen een poot van het bureau lag de schoudertas waarin Lina wel vaker haar papieren meesleepte. Ik raapte hem op, maakte de gesp los en opende de tas door de flap terug te slaan. Meteen toen ik de documenten tevoorschijn haalde, herkende ik Basri's bundel. Verbaasd dat ik het origineel van de documenten had gevonden, nam ik plaats in de bureaustoel. Of de inbrekers waren toch niet op zoek geweest naar de documenten, want dan hadden ze een voor de hand liggende plek op onbegrijpelijke wijze over het hoofd gezien, of – en mijn ongerustheid nam meteen toe – ze waren er helemaal niet naar op zoek geweest. Maar wat hadden ze hier dan gezocht? Lina zelf? Betekende het dat de journaliste mogelijk ontvoerd was? Ik overwoog de politie te bellen, maar ik twijfelde. Wat kon ik hen vertellen? Dat Lina niet was komen opdagen op een afspraak en dat haar bureau overhoop lag. Dat had ze mogelijk zelf gedaan.

Ik keek naar de bundel voor me. Er was een roze post-it tussen de bladzijden gekleefd. Toen ik de bundel op die plek opensloeg, herkende ik onderaan de pagina meteen de passage waar de getuigenissen van Jelena Mihajlović en Ivan Lukić begonnen. In Lina's exemplaar ontbrak de volgende pagina niet. Mijn ogen schoten over de regels. Wat ik las was al even gruwelijk als de andere gevallen die ik eerder had gelezen en illustreerde dat niemand veilig was voor het geweld van de Servische milities. Het ging over een peloton dat in een vallei een boerderij wilde inspecteren omdat ze verdachte bewegingen meende te hebben gezien. Beide getuigen bevestigden dat het om een jongen ging die het op een lopen had gezet toen hij hun konvooi had zien naderen. Hij was de stal in gevlucht en de commandant had opdracht gegeven die te bombarderen.

De stal was door een mortierinslag volledig in puin gelegd. Vervolgens was het peloton het erf opgereden en hadden de militairen alle bewoners gedwongen de woning te verlaten. Daarbij hadden ze ook geweld gebruikt. Met verbijstering las ik de naam van de familie: Hasani. Het stond er wel degelijk. Volgens beide getuigen werden onder de ogen van de moeder van het gezin haar man en kinderen, onder wie een tweeling van drie jaar, op het erf neergeschoten. Ook haar moeder, een rolstoelpatiënte van 81 jaar, hadden de militieleden gedood. De boerin was vervolgens verkracht en doodgeschoten. Ik stopte abrupt met lezen toen ik de naam van de bevelhebber las: Zoran Bogdanović. Ik staarde met ongeloof naar het blad papier. Wat Lina had ontdekt in de bundel van Basri, was de naam van de man die verantwoordelijk was voor de moord op haar familie. Zoran Bogdanović had volgens het getuigenis van Jelena Mihajlović samen met een andere militair eigenhandig vader, moeder en grootmoeder Hasani ook nog verminkt.

Ik werd opgeschrikt door de buurvrouw die plotseling in de deuropening stond. Ze bekeek me alsof ze me had betrapt bij het snuffelen in iemands privébezittingen. En in zekere zin was dat ook zo.

'Mevrouw Hasani blijft wel erg lang weg,' zei de vrouw.

In het appartement ernaast hoorde ik haar hond weer keffen. Ik stond op. 'Ik denk dat ik maar niet langer op haar wacht,' zei ik.

Samen met de buurvrouw verliet ik het appartement.

'Bedankt dat u me even hebt laten rondkijken.'

De vrouw knikte, terwijl ze de sleutel in het slot omdraaide.

Ik liep naar de liften.

Terwijl ik afdaalde, bleef ik mijn hersenen pijnigen over wat er met Lina was gebeurd. De verklaringen van de twee getuigen in de zaak Pavković brachten die commandant, net als zijn superieur, wel heel erg in het nauw. En waren Jelena Mihajlović en Ivan Lukić ook niet verminkt nadat ze waren vermoord? In opperste paniek stapte ik uit de lift en verliet het gebouw. Terwijl ik mijn gsm zocht, liep ik het trottoir op. Ik wilde het mobieltje van Lina nog één keer proberen voor ik inspecteur Kuipers belde. Terwijl ik luisterde hoe de telefoon een verbinding probeerde te maken, bleef ik over het trottoir lopen. 'Kom op, Lina,' riep ik binnensmonds met in mijn oor de zeurende toon die ik vandaag al zo vaak had gehoord dat het me zou verbazen als ik nu wel met de journaliste werd verbonden. Dat gebeurde ook niet. In plaats van haar voicemail, die ik bij de vorige pogingen telkens had gekregen, hoorde ik nu het bericht: 'Dit nummer is momenteel niet bereikbaar,' gevolgd door een paar pieptoontjes. Ik vloekte hardop en verbrak de verbinding. Meteen zocht ik het nummer van inspecteur Kuipers. Net op het ogenblik dat ik mijn gsm naar mijn oor wilde brengen, kreeg ik het onbehaaglijke gevoel dat er iemand achter me liep. Een mens leek het altijd eerder te vóelen dan te horen als iemand je te dicht naderde. Nog voor ik me kon omdraaien, werd mijn gsm uit mijn handen geslagen en werden de mouwen van mijn jas beetgepakt. Mijn armen werden met een ruk naar achteren getrokken. Ik voelde hoe er iets over mijn handen werd geschoven en probeerde me los te rukken, maar het volgende moment zaten mijn beide polsen al strak tegen elkaar in een strop van plastic dat in mijn vel sneed. Op hetzelfde ogenblik dat ik voelde hoe ik gekneveld werd – met net zo'n plastic bandje als in Breskens, schoot het door mijn hoofd – werd er iets over mijn hoofd getrokken en was het op slag duister om me heen. Het gebeurde allemaal in nauwelijks enkele seconden. Ik begon te schreeuwen en wild om me heen te schoppen, maar ik zag niets en toen twee armen mijn bovenbenen omknelden, verloor ik mijn evenwicht. Ik stortte niet op de grond. Mijn val werd opgevangen door twee armen die mijn bovenlichaam beetpakten en ik voelde hoe ik van de grond werd getild en werd neergevlijd – al was dat een te zwak woord voor de ruwe manier waarop het gebeurde – op de bank van wat onmiskenbaar een auto was, een nieuwe wagen, want dat kon ik door de stof van de zak over mijn hoofd heen ruiken. Ik hoorde het geluid van portieren die werden dichtgeslagen, een motor die werd gestart en het volgende moment begon de auto te rijden. Ze hadden me op mijn zij op de achterbank gelegd en ik probeerde recht te gaan zitten. Het kostte me een paar keren manoeuvreren met mijn benen en mijn bovenlijf en toen ik eenmaal rechtop zat, rook de lucht in de zak bedorven en voelde ik het zweet over mijn gezicht lopen. Ternauwernood kon ik ademhalen en ik begon te kuchen, overdreven luid, om aan te geven dat ik geen lucht kreeg en bijna stikte. Plotseling voelde ik een hand de zak bij mijn mond in een prop beetpakken en ik werd met een ruk naar voren getrokken. Ik hoorde het snijden van een mes waarvan het lemmet moeizaam door de stugge stof van de zak ging en ineens was er meer lucht en ademde ik diep in. En nog een keer. Door het kleine gat voor mijn mond was het gemakkelijker ademhalen nu en er sijpelde ook wat licht in mijn benauwde duisternis binnen, zodat ik me een tikkeltje meer op mijn gemak voelde. Maar het kleine streepje licht was geen teken van geruststelling, integendeel, het onderstreepte het besef dat ik volledig was overgeleverd aan mijn ontvoerders. Terwijl ik naar een onbekende bestemming werd gevoerd, kon ik niet anders dan aan Lina denken.

30

Ik schrok op uit mijn gepeins door het snerpende geluid waarmee metaal over metaal gleed. Iemand schoof de grendel weg en kwam het vertrek binnen. Ik probeerde mijn lichaam in de richting van de deur te draaien, maar vastgebonden aan armen en benen kwam ik niet ver genoeg, zodat ik vanuit mijn ooghoeken alleen maar een schim zag binnenkomen. Ik hoorde hem hijgen als een zwaarlijvige man. Opnieuw meende ik het parfum te ruiken dat ik in Lina's appartement en in de auto had geroken, en ook toen ik dit gebouw was binnengeleid. Secondenlang bleef hij achter me staan. Zijn onzichtbare aanwezigheid bezorgde me een onbehaaglijk gevoel, dat zo onverdraaglijk werd dat ik riep: 'Wie bent u? Wat wilt u?'

Ik voelde een grove hand mijn polsen vastgrijpen en na een kort snappend geluid kon ik mijn handen weer vrij bewegen. Met enige moeite bracht ik mijn armen naar voren en begon mijn polsen te masseren. Mijn handen kwamen weer tot leven met hetzelfde soort getintel dat ik kende uit mijn jeugd, als ik zonder handschoenen in de sneeuw had gespeeld.

Ineens stond er een boomlange kerel voor me. Het was Vuk Buša. Ik herkende de antiquair meteen, ook al droeg hij nu geen kostuum, maar een zwart trainingspak. Met een hand leunde hij op zijn wandelstok, met de andere hield hij een tangetje op waarmee hij in het niets knipte, terwijl hij me dreigend aankeek.

'Waar is ze?' vroeg hij in zijn steenkolenengels.

Zijn vraag verraste me, maar stelde me ook gerust: Lina zat in ieder geval niet in dit gebouw.

'Ik heb geen idee.'

Buša leek na te denken, terwijl hij het tangetje in de zak van zijn trainingspak stak.

Ik keek naar zijn forse kop met het hoge voorhoofd, waar diepe rimpels verschenen. Dit was de man die verdacht werd van de kunstdiefstallen; en mogelijk zelfs van de moord op de man in de kofferbak, al had hij blijkbaar een sluitend alibi. Maar wat had dat te maken met Lina? En in een flits begreep ik het: voor me stond de legercommandant, de man die Lina's familie had vermoord. Vuk Buša en Zoran Bogdanović waren een en dezelfde persoon. Ik keek naar zijn antieke wandelstok. Had hij niet gesproken over een oude oorlogswond toen we zijn zaak bezochten? Op de een of andere manier moest hij na de oorlog een andere identiteit hebben aangenomen en het land hebben verlaten. Lina moest de Serviër herkend hebben. Nu begreep ik waarom ze zich in de winkel zo vreemd had gedragen. Maar waarom had ze de autoriteiten dan niet ingelicht? En plotseling meende ik te begrijpen waarom ze verdwenen was. Ze kon maar één reden hebben waarom ze gezwegen had, ook tegen mij, over de ware identiteit van Vuk Buša, een reden die niet onbegrijpelijk was, gezien het gruwelijke lot van haar familie, maar die zo'n enorme consequentie had dat het me koud om het hart werd.

'Ze wil wraak, is het niet?'

Vuk Buša keek me aan met een blik waar ik verrassing in las, maar hij antwoordde niet. Uit zijn broekzak haalde hij een witte strip tevoorschijn. Hij liet zijn wandelstok vallen en drukte mijn rechterarm op de armleuning van de stoel, terwijl hij mijn pols met het plastic bandje vastmaakte. Ik probeerde tegen te stribbelen, maar de man was veel te sterk voor me. Ook mijn linkerarm bond hij met een strip aan de stoelleuning vast, zodat ik nu met handen en voeten aan de leunstoel vastzat.

Buša raapte zijn wandelstok op en keek me aan. 'Waar is ze?' vroeg hij opnieuw.

'Ik weet het niet.'

'U bent niet haar man?'

Door ons bezoek aan zijn winkel veronderstelde Buša blijkbaar dat we een koppel vormden.

'Nee, een collega. U hebt haar herkend, is het niet?'

'Nee...' Buša schudde ontkennend zijn forse kop. 'Ik kende haar niet.'

'Maar zij u wel...'

De Serviër glimlachte, maar niet van harte. 'Nadat jullie de winkel hadden bezocht, vertelde mijn dochter me dat ze journaliste van *De Nieuwskrant* was. Ze herinnerde zich Lina Hasani van de beelden op tv toen ze die onthullingen bracht over het Joegoslavië-tribunaal. Laten we zeggen dat ik het meer dan verdacht vond dat juist zij in mijn zaak kwam rondsnuffelen.'

'Dat was u dus die Lina's appartement heeft doorzocht.'

'Ik wilde weten wie ze was en wat ze precies wist. Ik vond tussen al die documenten op haar bureau ook een knipsel over de moord op haar familie... Toen was het duidelijk wie ze was.'

De Serviër keek plotseling van me weg in de richting van de deur. Ik hoorde een vrouwenstem – zijn dochter? – iets mompelen en hij liep ernaartoe met een kwiekere pas dan toen ik hem door zijn winkel had zien hinken. Ik hoorde de vrouw iets op een dwingende fluisterstem tegen hem zeggen in een taal die ik niet verstond. Meteen verliet hij de kamer en ik hoorde hoe de grendel voor de deur werd geschoven. Plotseling was het opnieuw ijzig stil in de ruimte en hoorde ik de kraan weer lekken. Ik had dorst en het gedrup versterkte alleen maar dat gevoel. Ook moest ik dringend plassen. Met kleine rukjes probeerde ik mijn stoel te verdraaien, maar de minste beweging veroorzaakte pijn aan mijn polsen en enkels. Roerloos bleef ik zitten en probeerde na te denken. In de bundel van Basri werd de commandant door twee militairen van zijn peloton beschuldigd van de moord op de familie Hasani. Zowel Jelena Mihajlović als Ivan Lukić werden vermoord, nog voor ze op het proces tegen Vlastimir Pavković hun getuigenis konden bevestigen. Wat had Basri ook weer gesuggereerd op het strand in Scheveningen? Dat er zoiets bestond als een oude vriendenkring, een netwerk dat de assistent-minister nog steeds ter wille was. Was Vuk Buša, alias Zoran Bogdanović, de spin in dit web en was zijn antiekhandel niet meer dan een dekmantel? Maakte ook – hoe heette die museumdief ook alweer? – Branko... ja, Branko Lićina er deel van uit? En hadden ze daarom de schilderijen gestolen om zo fondsen te verzamelen? Dušan Marković had tijdens zijn ondervraging Vuk Buša in ieder geval aangewezen als de opdrachtgever. Maar waarom was Branko Lićina dan vermoord? Het duizelde me, maar één ding was zeker: het kwam deze Serviër, net als Vlastimir Pavković, heel goed uit dat de twee getuigen dood waren. En het besef kwam onmiddellijk: als dat zo was, dan was ook mijn leven in gevaar.

Opnieuw schrok ik toen ik het geschuif van de metalen grendel hoorde. De deur zwaaide open en ik ving een glimp op van een muur die in dezelfde onbestemde kleur groen was geschilderd als het vertrek. Het leek een gang die vaag verlicht was, wat het idee dat ik me in een souterrain bevond nog versterkte. Vuk Buša kwam in gedachten verzonken binnen. Ik zag het meteen: hij droeg een pistool nu. Zijn trainingsjack hing open en ik zag de kolf uit de holster steken die met een riem rond zijn schouder zat.

'Ik heb dorst en ik moet pissen,' zei ik. Het was de waarheid, maar ik zei het ook om de Serviër ertoe te bewegen me los te maken.

Hij leek op te schrikken uit zijn gedachten en keek even in de richting vanwaaruit het gedrup klonk. Hij negeerde mijn vraag en keek me strak in de ogen. 'Ik vraag het u een laatste keer: waar is ze?'

Ik deed of ik nadacht. 'U bent degene die Jelena Mihajlović en Ivan Lukić uit de weg heeft geruimd, is het niet?'

Ik zag de Serviër verstrakken. De knokkels van de hand waarmee hij op zijn wandelstok leunde kleurden wit, zo hard greep hij de knop beet. 'Verraders waren het!' riep hij en hij spuwde op de vloer. 'Alle twee waren ze bereid te getuigen tegen eigen landgenoten.'

Ik zag hoe de man zich opwond. Zijn gezicht liep helemaal rood aan.

'Tegen eigen landgenoten! Landverraad staat wat mij betreft gelijk aan de kogel.' De ex-commandant legde zijn hand op de kolf van het pistool. Hij keek me strak aan. Ineens trok hij het wapen en zette de loop tegen mijn voorhoofd.

Ik voelde het koude metaal tegen mijn huid drukken. Ik hield mijn adem in en probeerde zo roerloos mogelijk te blijven zitten, maar ik merkte dat mijn hele lichaam begon te beven en dat ik geen controle had over die rillingen.

'Hebt u wel eens een oorlog meegemaakt?' siste de Serviër in mijn oor. 'In de strijd gebeuren er nu eenmaal... hoe zal ik het uitdrukken... zaken, die... ja, die noodzakelijk zijn.'

Ik kneep mijn ogen dicht. Dit was een van die sadisten over wie ik gelezen had in de getuigenverslagen, schoot het door mijn hoofd.

Net zo abrupt als hij het wapen tegen mijn hoofd had gedrukt, liet de man het ook weer zakken. Buša deed een stap achteruit. Hij klonk gekalmeerd toen hij zei: 'Een militair moet discipline kennen, moet orders uitvoeren, zonder daarbij vragen te stellen. Anders is de strijd bij voorbaat verloren. En onze opdracht was te zorgen dat Kosovo Servisch grondgebied bleef. Wat het ook zou kosten.' Hij stak zijn pistool weg en keek naar me alsof er niets was gebeurd.

'Ook onschuldige slachtoffers?' vroeg ik.

'Denkt u echt dat de Kosovaren in die oorlog zo onschuldig waren?' Hij nam me onderzoekend op. 'Hoe zijn jullie die twee getuigen op het spoor gekomen?' vroeg hij.

Ik zag het lijk met het verminkte hoofd van Jelena Mihajlović weer voor me dat ik in de branding had ontdekt op het strand van Breskens, evenals het lichaam van Ivan Lukić in de container, met zijn geslachtsdeel als een ontvelde worst tussen zijn lippen.

'Ik heb het lijk van Jelena Mihajlović op het strand gevonden,' zei ik. 'Niet veel later werd het lijk van Ivan Lukić in de Antwerpse haven ontdekt.'

Ik dacht na. Dat deze man een reden had om de twee getuigen om te brengen was overduidelijk, maar waarom had hij dan ook zijn kompaan, die de schilderijen voor hem had gestolen, vermoord?

'En Branko Lićina?' vroeg ik. 'Wilde hij ook getuigen?'

'Branko? Getuigen? Die zou nog eerder zijn tong afbijten.'

'Waarom moest hij dan dood?'

Buša leek oprecht verrast. 'U denkt toch niet dat ik hem heb omgebracht? Branko Lićina was een van mijn beste mannen. Altijd trouw aan de Servische zaak. En altijd trouw aan mij.'

Ik probeerde te begrijpen wat de Serviër me vertelde.

'Ik zie dat u me niet gelooft. Maar het is de waarheid. Ik ben er vrijwel zeker van wie de dader is.' Hij prikte met het einde van zijn wandelstok even tegen mijn borst. 'En ook dat u weet over wie ik het heb.'

Bij die laatste woorden ontkiemde ergens in mijn achterhoofd een gedachte die meteen werd gevoed door een ongrijpbare stroom beelden. Ze drongen zich aan me op als een te snel afgespeelde film: ik zag Lina die als een getrainde militair de kuivenkop in Den Haag overmeesterde, ik zag hoe ze de jongen routineus fouilleerde, hoe ze het knipmes in de vuilnisbak mikte en ik hoorde haar, op weg naar het Joegoslaviëtribunaal, weer zeggen: 'Ik *geloof dat er een monster in ieder mens schuilt.*' En al wilde ik het idee liever niet verder uitdenken, zo absurd leek het, deze man moest een gegronde reden hebben waarom hij zo wanhopig op zoek was naar haar.

'Waarom denkt u dat zij de dader is?' vroeg ik schor.

'Wie anders heeft een motief?' vroeg Vuk Buša. 'Toen ik hoorde dat Branko vermoord was en zijn lijk in een kofferbak was gedumpt, wist ik bijna zeker dat iemand het ook op mij gemunt had. Alleen wist ik niet wie...' Uit de zak van zijn trainingsjack haalde Buša een stuk papier tevoorschijn. Hij vouwde het open en hield het voor mijn neus. 'Mijn dochter vond vanmorgen dit in de krant,' zei hij.

Tot mijn verbazing herkende ik mijn robotfoto van het figuur in regenpak. Kuipers moest de robotfoto naar de kranten hebben gestuurd, in de hoop dat er zich mensen zouden melden die de persoon herkenden.

'Die tekening heb ik gemaakt,' zei ik. 'In opdracht van de politie.'

Buša leek verrast door mijn antwoord. 'En u herkent haar niet?'

Ik staarde naar de robotfoto, maar het was alsof mijn ogen zich niet konden concentreren. Ik herinnerde me nog hoeveel moeite het me bij die oude zeeman gekost had om de tekening te maken; de twijfel bij inspecteur Kuipers of die tekening bruikbare informatie zou opleveren; de suggestie ook dat het wel eens een vrouw kon zijn, zoals Mortelmans had geopperd. Met zijn oude zeeogen had hij het bij het rechte eind gehad, als ik de Serviër moest geloven. Het leek wel of de woorden van de ex-commandant de zwart-wittekening plotseling inkleurden. Het was vreemd, maar hoe langer ik ernaar keek, hoe meer ik in het getekende figuur de trekken van Lina begon te ontwaren. Zeker toen ik de bril met het zware montuur wegdacht – die moest ze met opzet hebben gedragen, als vermomming. Vooral in de vorm van de mond en ook de kin leek het portret plotseling sprekend op haar. Door de regenkap toonde de schets slechts het ovaal van het gezicht, maar als ik er Lina's kapsel op verbeeldde, werd de gelijkenis nog frappanter. Het was als het kijken naar een wolk: als je er eenmaal een figuur in ontdekte, kon je er enkel nog dat beeld in zien. Vol ongeloof keek ik naar Vuk Buša.

'Nu begrijpt u ook waarom ik haar moet vinden.'

Ik schudde mijn hoofd. 'Ik heb u al gezegd dat ik geen idee heb waar ze is.'

Buša fronste zijn hoge voorhoofd. 'U lijkt maar niet te begrijpen hoe belangrijk dit is.'

En plotseling zoefde zijn wandelstok door de lucht en sloeg met volle kracht op mijn rechterhand neer. Ik hoorde botjes kraken en gilde het uit van de pijn. Door mijn hele lijf trok een zenuwstoot alsof er onverwachts elektriciteit op de stoelleuning was gezet.

'Waar is ze?!'

'Ik weet het niet!'

Opnieuw haalde de Serviër uit met zijn stok en sloeg nu op de vingers van mijn andere hand. Mijn lijf sloeg voorover van de pijn. Ik voelde iets warms in mijn schoot en besefte dat mijn blaas leegliep.

'Waar?!'

'Ik zweer het; ik was zelf op zoek naar haar!'

Op dat moment vloog de deur open en hoorde ik iemand roepen: 'Zo is het genoeg, Bogdanović!'

31

Ook al kon ik de vrouw niet zien, haar stem herkende ik meteen. De Serviër keek verrast op. Ik zag de angst in zijn ogen toen hij naar zijn wapen greep. Nog voor hij het uit de holster kon halen, klonk er een schot en sloeg hij achterover tegen de muur. Zijn wandelstok glipte uit zijn vingers en hij greep met beide handen naar zijn bovenbeen. Uit de stof welde bloed op dat over zijn vingers begon te sijpelen. Zijn gezicht was verwrongen van de pijn. Toch bracht hij zijn rechterarm omhoog en toen hij met zijn hand een beweging naar zijn holster maakte, riep ik: 'Lina!'

'Dat zou ik niet doen,' hoorde ik haar zeggen. 'Of zíj gaat eraan.'

Tot mijn verbazing duwde ze iemand voor zich uit in een al even zwart trainingspak als de Serviër. Ik herkende de vrouw uit de antiekzaak. Lina drukte de loop van een pistool tegen haar hoofd, net achter het rechteroor.

'Neem je wapen met twee vingers uit de holster,' zei Lina tegen de Serviër, terwijl ze het pistool nog wat steviger tegen de zijkant van de schedel drukte, wat de vrouw deed kreunen.

Bogdanović greep het pistool met duim en wijsvinger bij de kolf vast en schoof het uit het leren foedraal.

'Langzaam...'

De Serviër hield het wapen op.

'Leg het op de grond en schuif het naar mijn voeten.'

Bogdanović gehoorzaamde, maar zette niet voldoende kracht: het pistool bleef halverwege de afstand tussen hem en Lina liggen. Met haar schoen maakte ze een schrapende beweging en haalde zo het wapen naar zich toe. Ik zag dat ze legerlaarzen aan had. Ook droeg ze een donkergrijs pak dat aan een uniform deed denken. In niets herinnerde ze aan de modieus geklede vrouw die ik kende. Ze schoof het pistool met haar voet verder naar achteren tot onder de stoel waarop ik zat.

'Zitten,' beval Lina en met haar wapen dwong ze de vrouw op de grond naast de Serviër.

'Is dat...?' vroeg ik.

Lina knikte. 'Zijn dochter Ludmilla. Ze was geen partij voor mij.'

'Hoe heb je me gevonden?'

Terwijl ze Bogdanović en zijn dochter, die ons met grote angstogen aankeek, onder schot hield, zei Lina: 'Toen ik op de redactie hoorde dat de politie hem had laten gaan omdat hij een alibi had, ben ik hiernaartoe gereden. Terwijl ik het huis in de gaten hield, zag ik ze iemand uit hun auto sleuren en ik wist meteen dat jij het was, ook al hadden ze een zak over je hoofd getrokken.' Ze keek even naar mijn afgedragen gympen en richtte haar blik weer op het koppel voor haar. 'Hoe komt het dat ze jou hebben ontvoerd?'

'Ik was op zoek naar je. Ik ben ook bij je thuis gaan kijken.'

Lina keek me aan.

'Ik weet wie hij is,' zei ik. 'En... ook wat je hebt gedaan.'

Ik zei dit wel, maar het wilde nog steeds niet tot me doordringen dat de vrouw die voor me stond een moord had gepleegd. Ik was bijna altijd in Lina's gezelschap geweest. Ze moest de moord op Branko Lićina nauwgezet gepland hebben.

Ik werd overmand door verschillende emoties tegelijkertijd: woede, teleurstelling, maar ook angst.

'Waarom moest hij dood, Lina?'

'Branko Lićina was een van zijn mannen.' Ze wees met de loop van het pistool in de richting van de Serviër op de grond. 'Maar hij weigerde me het adres van zijn commandant te geven.'

Bogdanović verloor veel bloed, zag ik. Mogelijk had de kogel een ader geraakt.

'Ik herkende Branko Lićina van jouw robottekening die we in de krant hebben gepubliceerd.'

Ik berekende dat Lina de man moest hebben omgebracht in de dagen nadat ze de artikelen had geschreven die zoveel tumult hadden veroorzaakt. 'Wat ben je van plan?' vroeg ik, niet helemaal zeker of ik het antwoord wel wilde horen.

'Ik heb het met mijn eigen ogen zien gebeuren, Lucas. En ik kon niets doen. Ik was die morgen een heuvel opgeklommen, wat ik wel vaker deed – er ontspringt daar een bronnetje en het uitzicht over de vallei is er prachtig –, toen ik de militaire voertuigen naar de boerderij zag rijden. Ik heb me schuilgehouden tussen de bomen. Het was afgrijselijk. Ze hadden geen schijn van kans.'

Ze hield nog steeds Bogdanović en zijn dochter onder schot. De Serviër hijgde moeizaam; zijn mond hing halfopen. Hij verloor steeds meer bloed. Een rode plas deinde langzaam uit over de betonnen vloer richting Lina's voeten. Ze staarde er even naar.

'Het ergste zijn de bloederige beelden. Ze komen spoken. Ze duiken op de meest onverwachte momenten op. Je hebt er geen verweer tegen.' Ze richtte de loop van het pistool ineens op Ludmilla. 'Heeft hij je ooit verteld wat hij in de oorlog deed? Weet je wat voor een sadist jouw vader eigenlijk is?'

Ik keek naar Bogdanović. De man lag helemaal onderuit-gezakt tegen de muur. Hij zag lijkbleek.

Lina richtte haar wapen weer op de Serviër. 'Weet je wat het is als je de levenloze lichamen van je familieleden over het erf verspreid in de modder ziet liggen, hun lijken met bloed door-drenkt? Weet je wat het betekent om te leven met die beelden: mijn grootmoeder met de weggesneden borsten, mijn vader met de afgesneden ballen en mijn moeder die onherkenbaar is, omdat ze geen gezicht meer heeft?'

Ludmilla begon te huilen.

Lina keek naar haar. En ineens deed ze een stap naar voren en trapte Bogdanović met haar legerlaars vol in zijn gezicht.

'Nee!' gilde Ludmilla.

'Lina!' riep ik.

Maar het leek of ze in trance was. Opnieuw haalde ze uit. Met de punt van haar schoen schopte ze op het gezicht met het hoge voorhoofd. De kop van De Serviër sloeg weg en een bloe-derige straal spuug vloog uit zijn mond.

'Lina!' riep ik opnieuw, op de toppen van mijn longen deze keer, maar het had geen enkel effect.

'Smeek!' riep ze. 'Smeek zoals mijn moeder heeft gesmeekt!'

De ex-commandant begon te murmelen en te reutelen. Het leek of hij iets wilde zeggen, maar geen woorden wist te vor-men. Speekselbelletjes vol bloed verschenen op zijn lippen alsof er een bosje rode bessen uit zijn mond groeide. Hij ro-chelde opnieuw en ze spatten uiteen. Lina zakte plotseling op haar knieën en duwde haar wapen tegen de bloedrode mond van de Serviër. Ze wrikte zijn tanden uit elkaar – ik hoorde het metaal over het ivoor krassen – tot de loop van het pistool half in zijn mond stak. Terwijl ze zijn dochter recht in de ogen keek, riep ze: 'Kijk! Zoals ik heb moeten toekijken!' Toen haalde ze de trekker over.

Ik schrok van het schot. Ik zag Bogdanović even opwippen toen de kogel zijn hersenen binnendrong. Op hetzelfde moment zag ik Ludmilla met een hand naar de antieke wandelstok van haar vader grabbelen. Met haar andere hand greep ze hem bij de zilveren hondenkop beet, draaide er kort mee en plotseling flitste een stuk metaal uit het hout tevoorschijn waarmee ze uithaalde naar Lina, die nog steeds op haar knieën naast Bogdanović zat. Ik zag hoe het lemmet diep haar hals binnendrong. Met verbazing in haar ogen keek Lina naar de bebloede dolk in Ludmilla's handen, terwijl het pistool, dat ze nog op de vrouw probeerde te richten, uit haar vingers gleed. Het wapen stuiterde op de grond. Met beide handen greep Lina naar haar keel. Bloed gutste in grote golven tussen haar vingers uit, die ze met alle macht tegen de wond drukte.

'Lina!' riep ik.

Ze keerde haar hoofd in mijn richting, maar haar ogen – groot van verbazing en angst – draaiden weg en ze viel langzaam voorover, recht op het lichaam van de dode Serviër.

Epiloog

Het duurde maanden voor ik weer een tekenpotlood kon vasthouden. Mijn handen zaten vol littekens van de vele operaties die nodig waren om ze te herstellen. In de pink van mijn linkerhand had ik geen gevoel meer en volgens de chirurg die me opereerde kwam dat wellicht nooit meer terug. De vingers van mijn rechterhand stonden krom. Maar ik was al blij dat ik weer kon tekenen.

Tijdens mijn herstelperiode ging het proces tegen Vlastimir Pavković opnieuw van start. Even overwoog ik om naar Den Haag te reizen, maar ik vreesde dat het proces te veel van me zou vergen en daarom volgde ik het nieuws erover in de kranten en op radio, tv en internet. Uiteindelijk werd de man door het Joegoslavië-tribunaal tot levenslang veroordeeld. Ik zag de rijzige Serviër in de beklaagdenbank weer voor zijn rechters staan. Ik vroeg me af of hij nog met een even spottende grijns op zijn gezicht naar het vonnis zou hebben geluisterd.

Een paar dagen na het nieuws over zijn veroordeling bestelde ik een taxi en liet me naar Schilde voeren. De zaak heette nog steeds BUŠA'S ART ANTIQUES & DECORATIONS. Ik vroeg de taxichauffeur te wachten. De uitbaatster keek op vanachter het antieke bureau waar ze de krant zat te lezen. Ze herkende me meteen.

'Ik kijk even rond,' zei ik.

Ludmilla glimlachte.

Ik zag het onmiddellijk: het beeldje stond nog op dezelfde plek. Voorzichtig nam ik het op en bewonderde opnieuw het snijwerk: de sprekende ogen, de opengesperde mond met de glanzende lippen. Ik wreef er even met mijn duim over. En terwijl ik dat deed, meende ik de schreeuw, die eeuwen geleden in het blok hout was gekerfd, daadwerkelijk te horen. Het gevoel was zo intens dat de sculptuur bijna uit mijn misvormde vingers gleed.

Ik liep ermee naar het bureau en zette het neer.

'Hoeveel kost het ook weer?' vroeg ik.

Ludmilla keek me aan en begon het beeldje in te pakken.

Ik keek naar haar bewegingen. De dochter van Zoran Bogdanović was niet vervolgd voor de moord op Lina Hasani. Wettige zelfverdediging luidde het verdict dat grotendeels gebaseerd was op mijn getuigenis.

Toen Ludmilla het beeldje had ingepakt, haalde ik mijn portefeuille tevoorschijn. Ludmilla legde een hand op mijn kromme vingers en keek me aan, terwijl ze haar hoofd schudde, een glimlach op haar lippen. Toen ik mijn portefeuille had weggestoken, overhandigde ze me het pakje.

In de taxi op weg naar huis dacht ik aan Lina. Het laatste beeld dat ik me haarscherp van haar herinnerde, kwam de afgelopen maanden wel vaker spoken: ik zag Lina langzaam vallen alsof ze zich op de brede borst van de Serviër te slapen legde.